GUEVARA

CLÁSICOS CASTELLANOS

FR. ANTONIO DE GUEVARA

MENOSPRECIO DE CORTE Y ALABANZA DE ALDEA

PQ6393
G8
A6

42718

EDICIÓN Y NOTAS DE M. MARTÍNEZ DE BURGOS

ESPASA-CALPE, S. A.
MADRID
1942

227

oli°

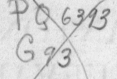

Talleres ESPASA-CALPE, S. A., Ríos Rosas, 26. — MADRID

PRÓLOGO

I

Ni los archivos señoriales de la casa de Guevara, cuyo linaje tanto enorgullecía al maestro fray Antonio, ni los monásticos de la Orden franciscana a que perteneció, ni los episcopales de las diócesis de Guadix y Mondoñedo, que hubo de regir, nos han socorrido todavía con un documento cierto del lugar y año en que vió la luz primera don Antonio de Guevara y Noroña. Mas sabiendo por boca suya que nació en *Asturias de Santillana* (1) y que se crió muy niño en *Treceño,* lugar de aquella merindad y del mayorazgo de Guevara (2), no es una aventura conjeturar que fué Treceño su cuna y que fueron los aires montañeses, tan hechos a orear ingenios para nuestras letras, los que solidificaron aquel cerebro travieso y bullidor que tanto nombre había de granjearse en su edad madura (3). Fué su padre don

---

(1) Letra para el abad de San Pedro de Cardeña.
(2) Letra para el obispo de Zamora don Antonio de Acuña.
(3) La polémica sostenida a fines del año pasado en las columnas de la *Gaceta del Norte* por los señores Caso-López y de la Q. Salcedo, en la cual intervinieron con

Beltrán de Guevara, segundogénito de la casa, montañés de naturaleza, y su madre, doña Elvira de Noroña y Calderón, de rancia estirpe en la tierrueca y dama de Isabel la Católica hasta el hecho de su casamiento. Hubieron éstos a don Antonio el año 1480, a juzgar por la propia confesión del mismo, que en letra a don Alonso Espinel, fecha en Valencia a 12 de febrero de 1524, dice: "De mí, señor, os sé dezir que he hecho recuento con mis años y hallo por mis memoriales que he los quarenta y quatro cumplidos", los cuales, descontados de la fecha de la carta, retrotraen su nacimiento al año justo que habemos señalado (1). De ellos sólo doce había pasado al abrigo del calor

---

opuesto criterio el cronista de Alava señor González Echávarri y el señor San Pelayo, de la Academia de la Historia, no ha traído ningún dato nuevo acerca del pueblo natal de Guevara. La cuestión quedó juzgada ya en 1847 por don Martín de los Heros, terqueando graciosamente contra don Francisco Juan de Ayala sobre si Guevara fué alavés o no fué alavés. Sin embargo, la documentada erudición genealógica del señor San Pelayo, expuesta en su meritísimo Prólogo a la edición que hizo del MENOS-PRECIO DE CORTE el año 1893, y repetida luego en la polémica, han venido a explicar lo que, por confesión del mismo Guevara, ya se sabía: su nacimiento en la Montaña. Sólo violentando interpretaciones puede pretenderse otra cosa.

(1) Contra tan manifiesta confesión hay otra hecha al condestable don Iñigo de Velasco, en letra de 8 de octubre de 1525, donde dice: *Treynta y ocho años ha que fuy traydo a la Corte de César*... Sabiendo por el Prólogo al MENOSPRECIO que fué llevado a la Corte en edad de doce años, si a los treinta y ocho sumamos los doce, nos dan un total de cincuenta años como edad de Guevara en 1525, y, conforme a ellos, habremos de poner la fecha de su nacimiento en 1475, y no en 1480, como hemos dicho en el texto.

maternal, pues en edad tan corta nos dice él mismo (*Pról. al* MENOSPRECIO) que le llevó su padre a la corte de los Reyes Católicos, "*a do me crié, cresci y bıví algunos tiempos más acompañado de vicios, que no de cuydados*". Dando por cierta la fecha de su nacimiento, Guevara tomó puesto en la corte el año 1492, es de creer que en calidad de menino y condiscípulo del príncipe don Juan, por cuya educación se desvelaba entonces la Reina Católica. El mismo año de 1492 fué nombrado Pedro Mártir de Angleria continuo de la Casa Real y maestro de Humanidades del Príncipe, con quien formaban academia muchos hijos de familias nobles, y no es dencaminado afirmar que en ella nutrió Guevara su entendimiento hasta saturarle de aquella cultura profana de que alardea en todos sus escritos. Hasta qué año permaneció Guevara en la corte no lo sabemos tampoco más que por sus mismas palabras: "*Ya que el príncipe don Juan murió y la reina doña Isabel fallesció, plugo a Nuestro Señor sacarme de los vicios del mundo y ponerme religioso franciscano.*" (*Pról. al* MENOSPR.) El príncipe don Juan había muerto el 4 de octubre de 1497 y la Reina Católica el 26 de noviembre de 1504. Tenía entonces Guevara unos veinticuatro años; era en el talle *largo, alto, seco y muy derecho* (1), y como mozo cortesano, sin dolores en el cuerpo ni cuidados en el corazón, su vida se desperdiciaba en *ruar calles, ojear ventanas, escrevir cartas, requestar damas, hazer promesas y enviar offertas y aun dar muchas dádi-*

_____

(1)   Letra para el condestable don Iñigo de Velasco.

vas (1). De ese *embobescimiento* vino a sacarle el
duro golpe de la muerte de doña Isabel. 'Tal vez
la misma nube que dejó a oscuras aquellos ojos
bienhechores ensombreció a la par el risueño cielo del porvenir de Guevara, o tal vez el fulgor
mortecino de los hachones funerarios le reveló
más halagüeño horizonte que el del medrar mundano; ello es que, muerta la Reina, dió de mano
a las vanidades cortesanas con tal sinceridad, que,
al asentar como religioso, lo hizo *entre los muy
observantes de San Francisco* (2), porción selecta
que, gracias al celo inquebrantable de Cisneros,
había sido restablecida en la guarda de la primi-
tiva regla, de la cual andaban sobrado lejos muchos otros conventos franciscanos y de los demás
institutos religiosos. Borrosamente conocemos algunos de los cargos que en la Orden desempeñó,
como los de Guardián de Arévalo, Soria y Avila (3)
y custodio provincial en la provincia de la Concep-
ción (4); y si juzgamos por los razonamientos hechos a los frailes de su Orden en capítulos gene-
rales y provinciales, y por el gusto con que le es-
cuchaban y el deseo que los tomaba de poseer escrito lo que en el púlpito le habían oído, habremos
de pensar que su principal cargo fué el de predicador, y que a él debió la fama que, al cabo de
media docena de años en Religión, tenía cobrada,
la cual se derramó tanto y tan luego, que el Gran

---

(1)   Letra para el comendador Luis Bravo.
(2)   Letra para el comendador Luis Bravo.
(3)   Letra para el Conde de Buendía. Idem para el almirante don Fadrique. Idem del bachiller Pedro de Rhua al
padre Guevara.
(4)   Letra para el almirante don Fadrique.

Capitán no dudó en aconsejarse de él cuando
en 1512 fué nombrado por el Rey Católico genera-
lísimo de los ejércitos de Italia, donde sin él parecía ir amorteciendo nuestra estrella. A esa fama,
unido el lustre y el influjo de la familia, debió
Guevara el ser nombrado predicador y cronista
del César Carlos V antes del año 1521, pues en 10
de marzo de este año le daba él mismo noticia de
aquellos sus cargos al Obispo de Zamora, y en el
Prólogo al MENOSPRECIO, impreso por primera vez
en abril de 1539, escribe estas palabras: "Estando, pues, yo en mi monesterio asaz descuydado de
tornar más al mundo, sacóme de allí para su predicador y cronista el emperador don Carlos, mi
señor y amo, *en la corte del qual he andado diez
y ocho años.*"

El levantamiento de las Comunidades castella-
nas no pudo menos de caerle mal a Guevara, predicador y cronista imperial, como acabamos de decir. Ya en gracia de estos sus cargos, ya estimu-
lado por la sangre generosa de donde venía, Guevara participó en tantos acontecimientos, siempre
significándose en favor de los Gobernadores contra las Comunidades, que él mismo asegura (1)
haberse hallado en Segovia "en el primero alboroto
que huvo en el reyno, quando a 23 de mayo, mier-
coles después de Pascua, sacaron de la iglesia de
San Miguel al regidor Tordesillas y le llevaron a
la horca..."; en Avila "quando se juntaron allí
todos los procuradores de la Junta en el cabildo
de la iglesia mayor y allí juraron todos de seguir

---

(1) Razonamiento hecho en Villabrágima a los caballeros de la Junta.

y morir por el servicio de la Comunidal, excepto
Antonio Ponce y yo...”; en Medina del Campo, “a
22 de agosto, un martes de mañana, quando Antonio de Fonseca amaneció sobre ella con ochocien-
tas lanças, y no le queriendo dar el artillería del
Rey, quemó la villa y al monasterio de San Francisco, y no salvamos otra cosa sino el Santo Sacra-
mento en el hueco de una olma que estava cabe la
noria...”; “también allí quando se levantó el tun-
didor Bobadilla con otros como él...”; en Valladolid cuando “se levantó en quemándose Medina y,
puesta toda en armas, anduvieron toda la noche a
derrocar casas...”; y “quando el Cardenal huyó
por la puente, el Presidente se metió en San Be-
nito, el licenciado Vargas salió por un albañal, al
licenciado Zapata sacamos en hábito de fraile
hasta Cigales y el doctor Guevara, mi hermano,
fué en nombre del Consejo a Flandes”. Y poco antes del trance definitivo, en que por torpeza de los
jefes de las Comunidades iban éstas a caer hundi-
das para siempre en Villalar, Guevara fué de par-
lamentario del campo realista al de los comuneros
hasta *siete vezes en diez y seis días* (1), en una de
las cuales veces logró retraer mañosamente a don
Pedro Girón del bando comunero, que favorecía.
Cuál fuera la intención de Guevara en todas estas
andanzas no es posible juzgarlo, si bien de sus
mismas palabras se convence que no era ajeno a
la esperanza del medro personal que a los ojos del
César habían de granjearle; pues, pasadas ellas,
no titubeaba en ofrecer servicios a sus amigos

---

(1)   Razonamiento de Villabrágima.

cuando César le pagara a él los que le había hecho (1). Su intervención en el sofocamiento del alboroto comunero se ajustaba al concepto bajísimo que éste le merecía; no es posible juzgar la causa de las Comunidades con criterio más mezquino y duro que el de Guevara. Para él Acuña se levantó contra el Rey por baratar otra mejor iglesia y por alanzar de Zamora al Conde de Alba de Liste; don Pedro Girón, porque quería a Medinasidonia; el Conde de Salvatierra, por mandar las merindades; Fernando de Avalos, por vengar su injuria; Padilla, por ser Maestre de Santiago; Laso, por ser único en Toledo; Quintanilla, por mandar a Medina; Ulloa, por echar a su hermano de Toro; Pimentel, por alzarse en Salamanca; Bravo, por ser Conde de Chinchón... Los populares que a estos capitanes seguían eran comuneros de Salamanca, villanos de Sayago, forajidos de Avila, homicianos de León, bandoleros de Zamora, perayles de Segovia, boneteros de Toledo, freneros de Valladolid, celemineros de Medina..., cuyo intento no era seguir a los que tenían mejor justicia, sino a quien les daba mejor paga (2). Con tamaña crueldad habló Guevara a los propios interesados, amenazándolos encima con perpetuar en su crónica el estigma de la infamia que les cargaba; y claro está que como no es la amenaza ni el insulto el lenguaje acomodado para poner en camino a la razón extraviada, Guevara no sólo no apaciguó el alboroto de las Comunidades, sino que lo empeoró. Grave cargo para quien debiera haber

(1)   Letra para don Juan Parelloso Aragonés.
(2)   Letra para don Antonio de Acuña.

sido, por su hábito y por sus condiciones, procurador de paz, arbitrador de concordia y zanjador de
diferencias.

En pago de los merecimientos en tan odiosa em-
presa contraídos, se le dió, en 1523, una plaza en
el Consejo de la Inquisición de Toledo. De ella
pasó a Valencia con cargo de Inquisidor, y como
tal acompañó al Duque de Segorbe cuando, en 12
de octubre de 1525, asaltó la sierra de Espadán
para reducir a los moriscos rebeldes que en ella
se habían hecho fuertes y desde ella defendían su
falsa religión. Veintisiete mil casas de moros dice
él que bautizó en el reino de Valencia, desde el
cual pasó a Granada a continuar el mismo apos-
tolado, hasta que en 7 de enero de 1528 se le pre-
conizó Obispo de Guadix, de cuya sede no tomó
posesión canónica hasta el año 1529. Con la posesión de la mitra no perdió la de ninguno de sus
cargos anteriores, y así fué que en 1535 acompañó
al César como cronista en la feliz jornada de Túnez y luego pasó con él a Italia, donde vió las señorías de Venecia, de Génova y de Florencia y los
estados y casas de los potentados y príncipes de
Italia, en todas las cuales vió —dice— grandes cosas que notar y otras dignas de contar (1). Seguramente que no dejó de aprovecharlas para este
su predilecto libro del MENOSPRECIO DE CORTE Y
ALABANÇA DE ALDEA, que ya por entonces andaría
meditando, y para cuya composición y la de algunos tratados más, junto con él publicados, suspen-
dió la escritura de las crónicas del César, según

(1)   Prólogo al MENOSPRECIO.

afirma en su testamento: *"Item dezimos y declaramos que nos, como cronista de su majestad, escrevimos las crónicas hasta que venimos de Túnez y después nos pusimos a escrevir otras obras..."* (1). Ellas debían de ser la postrera llamarada de aquel fertilísimo ingenio. Trasladado de la diócesis de Guadix a la de Mondoñedo, sólo a temporadas residió en ella, sin que nos sea conocida la causa. Lo que sí conocemos es que la gota en los pies y en las manos y la arena de los riñones iban ya carcomiendo la salud corporal de Guevara, y que, a poder de tales achaques, rindió, por fin, su aliento en Mondoñedo "un día a hora de las quatro y media de la mañana, viernes santo passado, que se contaron tres días del mes de abril del año passado de quinientos e cuarenta e cinco años", según testimonio de su mismo paje, Hernando Costilla (2). Fué enterrado en la capilla mayor de la catedral mindoniense y trasladado en 1552 a la iglesia de San Francisco de Valladolid, donde reposó al lado de su hermano, el doctor Guevara, hasta el año 1837, en que iglesia, convento y sepulcro a la par desaparecieron.

---

(1) Véase *España Sagrada*, tomo XVIII.
(2) Información abierta por el doctor Hernando de Guevara sobre el tiempo en que su hermano fray Antonio murió. *Archivo general de Simancas, Casa Real; Quitaciones*, leg. 67.

II

El MENOSPRECIO DE CORTE Y ALABANÇA DE ALDEA
es un tratado corto de moral mundana. No hay en
él nada del encanto poético del *Beatus ille* o del *Qué
descansada vida*, ni mucho menos el mentido hala-
go de las fingidas Arcadias pastoriles que tanta
boga lograron medio siglo más tarde; el vivir cortesano y el vivir aldeano, pintados nimiamente al
desnudo y con más pelos y señales que los que tienen en la corriente realidad, se contraponen y se
afrontan sinceramente bajo el solo influjo de con-
trarias exclamaciones de afecto o de conmiseración
respectiva. Hombre práctico y positivo, en la acepción moderna de esta palabra, la austeridad del
cordón franciscano no le estorbó a Guevara amar
la vida de la aldea por los libres y sanos regalos
que proporciona, tanto al menos como por los peligros morales de que libra y por el recogimiento
que a la virtud y a la penitencia ofrece. Salvando
el abismo que zanja la glotonería refinada y el
honesto saboreo de los placeres gustuales, Guevara
en algunos capítulos de su obra se retrae un tanto
al regalón y epicúreo Arcipreste de Hita, cuya so-
carronería parece despuntar a veces también en
el MENOSPRECIO. Como escritor, fray Antonio lo
fué de primer orden, fué uno de los grandes pro-
sistas anteriores a Cervantes (1) ; no hay rasgo de

---

(1)   Véanse parte de estas apreciaciones críticas en Menéndez y Pelayo, *Orígenes de la Novela,* tomo I. El estudio considerado, sin ser prolijo, de las obras del autor y
una fácil inquisición bibliográfica sobre Nicolás Antonio,

su pluma que no merezca atención, cuanto más este libro, que fué donde trabajó con más esmero, según asegura él mismo en el prólogo con estas palabras: "Después acá que saqué a luz el mi muy famoso libro de Marco Aurelio, he compuesto y traduzido otros muchos libros y tratados; mas yo afirmo y confieso que en ninguno he fatigado tanto mi juizio, ni me he aprovechado tanto de mi memoria, ni he adelgaçado tanto mi pluma, ni he polido tanto mi lengua, ni aun he usado de tanta elegancia, como ha sido en esta obra..." Este, como todos los libros profanos de fray Antonio de Guevara, sin excepción alguna, está lleno de citas falsas, de autores imaginarios, de personajes fabulosos, de leyes apócrifas, de anécdotas de pura invención y de embrollos cronológicos y geográficos que pasman y confunden. Aun la poca verdad que contienen está entretejida de tal modo con la mentira, que cuesta trabajo discernirla. Porque el ingeniosísimo fraile tenía, sin duda, una vasta y confusa lectura de todos los autores latinos y de los griegos que hasta entonces se habían traducido (1); pero todo ello lo baraja con las invencio-

Brunet, etc., lleva por la mano a tales conclusiones, cuya exposición, con color de externa originalidad, hubiera sido cosa fácil y, por lo mismo, de escaso mérito; así es que he preferido zurcirlas con las mismas hermosas palabras del maestro.

El *Bulletin Hispanique* del primer trimestre de 1901 anunció que Mr. Morel-Fatio preparaba un trabajo rotulado *Antonio de Guevara, son œuvre et son influence*. Ignoro si lo ha dado a luz; yo lo he pedido a las casas anunciadoras Privat, de Toulouse, y Picard, de París, y no he tenido la fortuna de que me dieran razón de él.

(1) Guevara no sabía griego: lo da a entender él mismo en las siguientes palabras del *Marco Aurelio:* "Saqué, pues,

XVIII   PRÓLOGO

nes de su propia fantasía, tan viva, ardiente y
amena. Incansable cultivador de la literatura apó-
crifa, le faltaba el respeto a la santa verdad de
las cosas pasadas y a los oráculos de la venerable
antigüedad. No se recataba de profesar el más
absoluto pirronismo histórico; á la acendrada crítica del bachiller Rhua, profesor de Humanidades en la ciudad de Soria, poniendo de manifiesto algunos de los incontables yerros y falsedades
históricas que las obras de Guevara contienen,
el buen Obispo contestó con el mayor desenfado
que no hacía hincapié en historias gentiles y pro-
fanas, salvo para tomar en ellas un rato de pasa-
tiempo, y que fuera de las divinas letras no afir-
maba ni negaba cosa alguna (1). Sin embargo, no
era un falsario de profesión, como lo fueron los
Higueras y Lupianes del siglo XVII, sino un mora-
lista agridulce, que buscaba en la historia real o
inventada adorno o pretexto para sus disertacio-
nes, consejos o advertencias, donde lo de menos
era la erudición y lo principal la experiencia del
mundo; un satírico entre mordaz y benévolo de las
flaquezas cortesanas, y, sobre todo, un original
artífice de estilo, creador de una forma brillante
y lozana, culta y espléndida, aunque retórica en
demasía, cuyo agrado no pódemos menos de sentir,
aun teniendo que declararla muchas veces viciosa
y amanerada.

---

del griego *con favor de mis amigos,* de latín en romance *con
mis sudores propios.*"

(1) V. en el *Epistolario español,* tomo XIII de la Biblioteca Rivadeneyra, la contestación de Guevara a las cartas
censorias de Rhua.

Su seudohistoria es una broma literaria, que por desdecir de la profesión religiosa y dignidad episcopal del agudo autor montañés, puso de ceño a Rhua, a Melchor Cano, a Antonio Agustín, a Alderete, etc., y más tarde al maligno y eruditísimo crítico de Amsterdam Pedro Mayle, que en su *Diccionario histórico* le dedica dos páginas llenas de sangrientos vituperios; pero esta saña reconoce por causa no haber llegado a comprender el verdadero carácter e intención de los escritos de Guevara.

La prosa del MENOSPRECIO, como la de las Cartas familiares, es aguda y sabrosísima, pero artificiosa en extremo y cargada de verbosidad empalagosa y de picantes especias de antítesis, paranomasias, retruécanos y palabras rimadas, que indican un gusto poco seguro y algo pueril, un clasicismo a medias. Hay en él amplificaciones elegantes, pero sobremanera diluídas; invectivas enérgicas, sanos documentos y máximas de buen gobierno, privado y casero, que cobran hoy nuevo realce por la alusión que hacen al modo de vivir de aquella sociedad. Ninguna condición de buen escritor le faltó a Guevara, salvo la moderación, el tino para saber escoger, el buen gusto para saber borrar. Es un autor terriblemente *tautológico*, y Cicerón mismo puede pasar por un portento de sobriedad a su lado. Anega las ideas en un mar de palabras y siempre hay algo que se desearía cercenar, aun en sus mejores páginas.

Los Apotegmas y Tratados morales de Plutarco parecen haber sido la principal fuente de la doctrina de Guevara. La edición que usó no es po-

sible precisarla; de las que yo conozco hay una,
salida de la imprenta Ascensiana en 1526, a la
cual se acercan mucho las citas auténticas de Guevara, sin que de todo en todo se le ajusten, acaso
por el poco escrúpulo del autor en citar de memoria, arreglando lo que no bien recordara (1). Para
las anécdotas de los filósofos se valió de Diógenes
Laercio, y quizá todavía más de la vieja compila-
ción de Gualterio Burley *De vita et moribus phy-
losophorum*, traducida antiguamente al castellano
con el título de *Crónica de las fazañas de los filósofos*. Conocía la biografía fabulosa que Filostra-
to hizo de Apolonio de Tiana, y las cartas apócrifas de Pitágoras, de Anacarsis, del tirano Fálaris,
y otras tales tenidas entonces por auténticas. Para
las anécdotas de los emperadores romanos saqueó
a Suetonio, Herodiano, Valerio Máximo y a los escritores de la historia augusta Lampridio y Julio
Capitolino, a los cuales añadió muchas circunstan-
cias de propia minerva.

Sería curioso y de provecho investigar la influencia de Guevara, ya en nuestros clásicos, ya en
la muchedumbre de literatos extranjeros, a cuyas
manos llegaron sus obras, casi tan difundidas como
la Sagrada Biblia durante el siglo XVI, según afirma Merico Casaubon (2). Cervantes, que, entre

(1) "Quien mirare este latín —dice Rhua a propósito
de una cita— y el de la traslación del intérprete de Plutarco en la *Vida de Lúculo*, conoscerá si fué tomado de la
fuente o de algún arroyo turbio." *Bibl. Rivad.*, tomo XIII.
No hace falta suponer tales arroyos; Guevara mismo de-
rivaba las aguas conforme le placía, sin reparar en la exac-
titud literal, siempre embarazosa.

(2) El tema del MENOSPRECIO DE CORTE Y ALABANÇA DE
ALDEA fué muy socorrido en el estruendoso y batallador si-

burlas y veras, nos certifica en su prólogo al *Quijote* del gran predicamento del Obispo de Mondo-

glo XVI. Sin más que arañar en la investigación, topamos
con una famosísima escritora toledana, Luisa Sigea, *Minerva de su siglo,* en quien los coetáneos extremaron los elo-
gios por sus raros conocimientos de las lenguas clásicas y
semíticas. Fué poco posterior a Guevara. Alfonso Matriten-
se, arcediano de Alcor, en la diócesis de Palencia, nos
asegura que la Sigea compuso en latín un libro, *y no de
molde, sino de su mano, según me dijeron, en el qual, en
forma de diálogo entre dos damas, se trata elegantemente
la diferencia que hay entre la vida cortesana de palacio y
la solitaria de la aldea y campo.* Sigue el mismo camino que
Guevara en *buscar para su propósito sentencias notables
de Platón, Aristóteles, Xenofonte, Plutarco,* aventajándole
en *ponerlas a la letra en su propia lengua y caracteres griegos y trasladarlas luego letra por letra en latín,* siendo
como ingenio brotado al calor del Renacimiento, el cual no
logró embestir de lleno el cerebro de Guevara, más depura-
da y fiel que éste en las citas y abastecida en mejores fuen-
ts de información.

También Pedro de Navarra, creado obispo de Comenge
en 1560, publicó en Zaragoza, el año 1567, unos *Diálogos
muy subtiles y notables,* cuya segunda parte es *De la diferencia de la vida rústica a la noble.*

Y en la *Revista de Archivos, Bibliotecas y Museos* de
octubre de 1900, don Manuel Serrano y Sanz reveló un
Cancionero de la Biblioteca Nacional, manuscrito a fin del
siglo XVI o comienzos del XVII, cuya primera composición se
titula: *Obra de Gallegos que es vida de palacio.* Mr. Morel-
Fatio, en el *Bulletin Hispanique* del primer trimestre de
1901, hace un estudio crítico de ella cotejando el manuscrito de Madrid con otro de la Biblioteca Nacional de París, en donde la composición se titula *Coplas en vituperio
de la vida de palacio y alavanza de aldea, hechas por Gallegos, secretario del Duque de Feria.* Este último dato nos
sugiere como fecha probable de la composición la de 1567,
en que Felipe II erigió en Ducado el Condado de Feria,
a 1571, en que murió el primer Duque, cuyo parece fué
Secretario el nombrado Gallegos. Es, por tanto, posterior
al MENOSPRECIO, de Guevara, que, probablemente, le sirvió
de inspirador a Gallegos, atenta la igualdad de motivos
por donde uno y otro vituperan la vida cortesana y alaban

ñedo, no se desdeñó de imitarle en digresiones morales, como el razonamiento sobre la edad de oro, que recuerda otro análogo del libro I, capítulo XXXI, del *Marco Aurelio*, y aun en descripciones como la del hidalgo manchego, *de lanza en astillero, adarga antigua, rocín flaco y galgo corredor*, inspirada acaso en otra medio idéntica del capítulo VII de este MENOSPRECIO.

De su estimación en Francia nos da idea el gran número de traducciones que se hicieron de sus obras, según aparece de la bibliografía de Brunet *Manuel du libraire* y de la calidad de los literatos que le saborearon y aprovecharon, como Montaigne, Brantôme, Lafontaine y otros.

De aceptar la tesis radical del doctor Landmann en su trabajo sobre *Shakespeare y el euphuismo*, sería preciso ahijar a Guevara los extravíos del eufuismo británico, pues, según él, la célebre novela de Lily *Euphues, the anatomy of wit*, que dió nombre al género, no es más que una imitación, y aun en muchos pasajes un traslado, de las obras del Obispo de Mondoñedo. Exagerada es la afirmación; aun dadas por buenas todas las coincidencias de fondo y todas las semejanzas de forma en el uso constante de miembros fraseológicos antitéticos, paralelos, similicadentes, etc.; no hay por qué establecer corriente de influencia inmediata

la aldeana. He sentido tentación de parear ambos textos en notas a sazón sembrados; pero me ha parecido prolijo para la índole de la edición.

Conste en favor de Guevara que él ha sido el primer modelo de esta literatura, y que si a él le han debido inspiración los posteriores, Guevara no adeudó más que a su fértil ingenio y a su personal experiencia.

de Guevara sobre Lilly, cuyo inspirador fué, en verdad, un guevarista de los que formaban el grupo así llamado en la corte de Enrique VIII, mas no el propio don Antonio, según opina razonablemente Garret Underhill (1). La literatura española debe al seductor estilo de nuestro clásico el haber comenzado por él a ser estudiada en Inglaterra, donde ejerció sugestión extraordinaria, que sólo a fines del siglo XVI le fué arrebatada por la ciceroniana elocuencia del autor de la *Guía de pecadores.*

III

Las ediciones *príncipes* de las obras de Guevara son las siguientes:

Relox de Príncipes o Marco Aurelio. Valladolid, 1529.

Epístolas familiares: en tres libros. En Valladolid, por Juan de Villaquirán, 1539.

Y en el mismo volumen:

Prólogo solemne, en que el autor toca muchas historias.

Una década de las vidas de los X Césares, Emperadores romanos, desde Trajano a Alexandro.

Del Menosprecio de la corte y alabanza de la aldea (2).

Aviso de privados y doctrina de cortesanos.

---

(1) *Spanish literature in the England of Tudors.*
(2) Hasta el año 1592 no fué editada por separado esta obra en Alcalá de Henares, por Juan Gracián. (Catalina y García, *Tipografía Complutense.*)

De los inventores del marear y de muchos trabajos que se passan en las galeras.

Obras sagradas tiene dos:

Monte Calvario. Salamanca, 1542.

Oratorio de religiosos y exercicio de virtuosos, Valladolid, por Juan de Villaquirán, 1542.

La presente edición del MENOSPRECIO reproduce la *princeps* de 1539. En punto a ortografía, se se ha adoptado la corriente ya en *Clásicas Castellanos,* la cual conserva todas aquellas grafías que representaban entonces un valor fonético o etimológico, de las cuales, por lo mismo, no puede prescindir el filólogo.

MATÍAS MARTÍNEZ BURGOS.

Burgos, 22 de marzo de 1914.

Comiença el prólogo del auctor dirigido al Serenissimo Rey de Portugal en el qual pone muchas buenas doctrinas, y toca muy notables historias.

Propone el auctor

5

Plutarco, en el libro *De curiositate vitanda*, dize que en Atenas topó un griego con un egipcio, que llevava so la capa cierta cosa sobarcada, y como le preguntasse qué llevava, respondióle él: *"Et ideo obvelatum est, ut tu nescias."* Como si dixera: "Por esso va ello cubierto con el manto, por que tú ni otro sepáis lo que va aquí abscondido." Solón so-

10

---

8 *"Sobarcar,* llevar mucho bulto de ropa o otra cosa debajo del braço."* Covarrubias, *Tesoro de la lengua castellana o española.* Madrid, 1611, *Sub arcu =* sobaco, *sobarcar* es verbo posnominal.

12 *Abscondido =* "esse que se absconde porque padezcáis". *Epistolario espiritual del Beato Avila,* epíst. XIX, "Valor, ¿dónde te ascondes?" Guillén de Castro, *Las Mocedades del Cid,* com. 2.ª, v. 304.

12 *Solomino.* "Solón de Salamis fué natural y en ella nascido, y por eso es llamado el Salaminio, no el Solomino, y aun porque con su industria ganó a Salamis y la restituyó a la subjección de Atenas... Lea a Laercio, Diógenes y a Plutarco en la vida de Solón y hallará ser ansí." P. de Rhua, carta II, *Bibl. Rivad.,* tomo XIII.

lonino mandó en sus leyes a los atenienses que
todos tuviesen aldavas a las puertas de sus casas,
y que si alguno entrava en casa agena sin tocar
primero a la aldava, le diessen la mesma pena que
5 al que robava la casa. Entre los cretenses ley fué
muy usada y guardada que si algún peregrino viniesse de tierras extrañas a sus tierras propias,
no fuese nadie, ossado de preguntarle quién era,
de dónde era, qué quería ni de dónde venía, so
10 pena que açotasen al que lo preguntava y deste-
rrasen al que lo dixesse. El fin por que los antiguos
hizieron estas leyes fué para quitar a los hombres
el vicio de la curiosidad, es a saber, el querer saber las vidas agenas y no hazer caso de las suyas
15 propias, como sea verdad que ninguno tenga su
vida tan corregida, que no aya en ella qué enmendar y aun qué castigar. Lo más en que ocupan los
hombres el tiempo es en preguntar y pesquisar
qué hazen sus vezinos, en qué entienden, de qué
20 viven, con quién tratan, a dó van, a dó entran y
aun en qué piensan; porque, no contentos de lo

---

2 "Solón Salamino no mandó tal cisa en sus leyes, según parescerá por Plutarco en la vida de Solón, y por Laercio en la vida del mesmo, y por Herodoto, ni por otro alguno de los que de Solón escribieron; antes en Plutarco se
hallan estas palabras: "Es costumbre que ninguno entre en
"casa ajena sin que primero llame a la puerta, porque para
"esto ahora ponen porteros y antes ponían aldabas para
"que el que quisiere entrar sea primero sentido." P. de
Rhua, carta III.
15 *Como*, con subjuntivo, equivale a gerundio, o *cuando*, con indicativo, comunísimo en los clásicos. "Si decís
que se hace del aire que está en las concavidades de la
tierra, como sea verdad que de diez partes de aire se haga
una de agua..." Granada, *Símbolo de la fe*, part. I, cap. IX.
19 *Entender en* es ocuparse; comunísimo.

preguntar, lo presumen de adevinar. Veréis a unos
hombres tan determinados, o por mejor dezir, tan
desalmados, que juran y perjuran que fulano tiene pendencias con fulana, y que éste quiere mal
a aquél y aquél tiene hecha confederación con el 5
otro; y si le conjuran a que diga cómo lo sabe,
responde que él saber no lo sabe, mas que de muy
cierto lo presume; porque el cielo se puede caer,
y que su coraçón a él no le puede engañar. Loan
y nunca acaban de loar Plutarco y Aulo Gelio y 10
Plinio al buen romano Marco Porcio de que jamás hombre le oyó preguntar qué nuevas havía en
Roma, ni de cómo bivía cada uno en su casa; sino
que solamente hablava en lo que tocava al bien de
la República y respondía a lo que alguno le dezía. 15
El divino Platón escriviendo a Dionisio Siracusano, dize assí: *"Homo curiosus hostibus utilior es
quam sibi, siquidem illorum mala coarguit, com-
mostrans illis quid sit cavendum quidve corrigen-
dum."* Como si dixesse: "El hombre que es cu- 20
rioso de saber vidas agenas, más amigo es de su

---

9 El *que* va regido del *responde* anterior; así la frase queda sin valor categórico, como simple baladronada
de quien la dice.
10 "Ni Plutarco en la *Vida de Catón Censorio*, ni Aulo
Gelio en el tercio décimo libro, capítulo décimo octavo, ni
en otra parte de los veinte libros de las *Noches Aticas*, ni
Plinio en el séptimo, ni en otro algún autor do hacen men-
ción de Catón, oso afirmar que no cuentan tal cosa." P. de
Rhua, carta III.
14 "Hablando en diversas cosas." Antonio de Villegas,
Història del Abencerraje y la hermosa Jarifa. "Y hablando en la pasada aventura, siguieron el camino del puerto
Lápice." *Quij.,* I, 8.

enemigo, que no lo es de sí mismo; porque en el
enemigo luego pone la lengua en lo que no haze
bien y de sí mismo nunca se conosce de lo que
haze mal. Homero, Ennio, Xantipo y Ovidio, fa-
5 mosos poetas que fueron, dizen que a ningunos
vieron tanto atormentar en el otro mundo como a
los malditos de Ticio, Tántalo, Xioun, Sísifo y
Panteo; no porque fueron más viciosos, sino porque presumieron de más curiosos, es a saber, que
10 rebolbían las repúblicas y entendían en vidas agenas. Sócrates el filósofo, en entrando en academia
y en subiéndose a la cátedra, la primera palabra
que dezía era ésta: *"Quid de magistro?"* A esto
respondían luego sus discípulos: *"Quid de disci-*
15 *pulis?"* Por estas palabras preguntava Sócrates a
sus discípulos qué les avían dicho dél aquel día, y

---

1 *Que no...*, en nuestro entender el *no* es expletivo o
redundante; mas en el entender de los clásicos, donde, más
que la idea de comparación manifiesta podía la de contra-
riedad u oposición lógica, el *no* estaba muy en su punto
y aún era necesario.

5 "Ningunos [libros] le parecían tan bien como los
que compuso el famoso Feliciano de Silva." *Quij.*, I, 1. "No
sabemos si en este coche vienen o no ningunas forzadas
princesas." Ibid., 8.

7 *Ticio:* un buitre le roe las entrañas, que eternamen-
te le renacen. *Tántalo:* sumergido en un lago hasta la barba, muere de sed, porque el agua huye de sus labios si
se baja a beberla... *Xioun* o *Ixión:* atado a una rueda eri-
zada de serpientes, que voltea sin cesar. *Sísifo:* con cabeza
y manos empuja un peñasco enorme por la vertiente de
una montaña, sin tocar nunca su cima. *Panteo* o *Penteo:*
tuvo la curiosidad de subirse a un árbol para ver el ban-
quete de las Bacantes, pero éstas lo advirtieron y le des-
cuartizaron.

13 Esto sólo se hallará en un libro intitulado *Gesta Ro-*
manorum. P. de Rhua, carta III.

ellos pregutánvanle a él que qué le avían dicho dellos; por manera que allí se dezían los defectos
que avían hecho y de lo que en la república los
avían notado. En menos yerros cayríamos y menos excesos cometeríamos si quisiéssemos hazer 5
lo que Sócrates hazía y humillarnos a preguntar
lo que él preguntava; porque ya que los hombres
no miran lo que hazen, devrían de pesquisar lo
que dellos los otros dizen. Por absoluto que fuesse
un cavallero y por dissoluto que fuesse un plebeyo, 10
si quisiesse tener coraçón para dexarse avisar y
tuviesse paciencia para consentirse corregir, es
imposible que no enmendasse de vergüença lo que
no dexa de cometer por consciencia. Archidano,
rey muy famoso que fué de los esparciatas, pre- 15
guntó al filósofo Pindárido que quál era la cosa
más difícil que el hombre podía hazer; a la quál
pregunta respondió él: "No ay cosa para el hombre más fácil que el reprehender a otros y no ay
cosa para él más difícil que dexarse reprehender. 20
Cuán gran verdad aya dicho este filósofo no ay
necessidad que mi pluma lo encarezca, pues cada

1 El primer *que*, conjunción, es expletivo. Consuróle
Juan de Valdés en sus *Diál. de la lengua;* tan continua-
mente le usaban los autores en estas y otras frases, que
Valdés se obligaba a quitar de algunas escrituras de media docena de hojas, media de *que* superfluos. V. Guevara,
unas líneas más abajo.

4 *Cayrías* dice también fray Francisco de Osuna,
Abecedario espiritual, segunda parte, fol. VIII v., Burgos,
1539. La *iod* del presente *cadeo,* vulgar, se propaga a los
demás tiempos. *Trayremos,* ídem, fol. LIX.

9-10 "*Absolutos* en el mandar, *dissolutos* en el adulterar." Guevara, *Aviso de privados,* cap. XVII. "Dissoluto en
las costumbres y absoluto en las palabras." Ibid., cap. XIX.
"Tan libre en el vivir y tan absoluto en el hablar." Ibidem.

uno lo alcança; porque para reprehender a otros
son infinitos los que tienen habilidad y para ser
reprehendidos no ay quien tenga humildad. Epe-
neto, notable filósofo que fué entre los tebanos,
5 no puede ser contado ni aun condenado con los curiosos y maliciosos; el qual, como uviesse filoso-
fado en las academias de Tebas por espacio de
treynta años y le riñessen muchos porque no re-
ñía los vicios que veía cometer, respondió: "De que
10 no aya en mí qué reprehender, començaré a reprehender." Respuesta fué ésta digna por cierto de
notar y no menos de imitar; porque si cada uno
quisiesse llevar a juizio y poner en examen su
vida, por ventura daría por libre al que él acusa y
15 condenaría a él en lo que al otro acusava. Quando
Platón se partía de Tinacria para tornar a Gre-

---

5 *Ni aún* = ni tampoco. *Aún* no siempre es ponderativa; muchas veces refuerza la inclusión o exclusión de
algo, según que vaya unido a *y* o a *ni*. "De ese parecer soy
yo, dijo el barbero. Y aun yo, añadió la sobrina." *Quijote*,
parte I, cap. VII. "En las Cortes de los Príncipes es a do
los hombres pueden valer y aun a do se suelen perder."
Guevara, MENOSPRECIO, cap. III. "No sólo el marido, más
aun la mujer es en el aldea privilegiada." Guevara, ME-
NOSPRECIO, cap. V. "Ni para con Dios tienen consciencia,
ni aun de la gente han verguença." Guevara, MENOSPRECIO,
capítulo IV.

9 *De que* y *desque* = cuando, después que. "De que vi
que era imposible ir a donde me matasen por Dios, orde-
namos ser ermitaños." Santa Teresa, *Vida*, cap. I. "A costa ajena, todo el mundo huelga de tener locura, mas de
que la locura ha de salir de su bolsa de cada uno se
atienta." Guevara, *Despertador de Cortesanos*, cap. II.
"Desque oyó esto el Duque, alegróse y díxole." Osuna,
Abec. esp., quinta parte, trat. II, cap. LIX.

16 *Tinacria*, disimilación de Trinacria = Sicilia, la de
los tres vértices.

cia, díxole el tirano Dionisio: "¡O qué de males dirás de mí, o Platón, y de mi tiranía, de que te halles entre los filósofos de Grecia!" A lo qual respondió Platón: "No ayas miedo de esso, Dionisio, ni que yo lo diga, ni aun que los otros lo escuchen; porque están tan corregidas y ocupadas las academias de Grecia, que no les queda tiempo para dezir ni sola una palabra ociosa." Y dixo más Platón: "Sabe si no lo sabes, o Dionisio, que toda la suma de nuestra filosofía es persuadir y aconsejar a los hombres a que cada uno sea juez de su vida propia y no cure de escudriñar la vida agena." Filípides el poeta, primero inventor que fué de las comedias, como fuesse muy gran amigo y privado del rey Lisímaco, díxole un día al Rey: "*Quid e meis rebus tibi impertiam? Inquit Philipides: nil, o rex, ex tuis archanis.*" Como si dixesse: "¿Qué quieres que te dé, o amigo mío Filípedes?" A lo qual él respondió: "La mayor merced que me puedes hazer, o rey, es que no me des parte de tus secretos." O alta y muy alta respuesta, la qual será de muchos leída y de muy pocos entendida; porque si este filósofo no quería saber lo que el rey sabía, mucho menos quisiera saber

---

5   *Ni aun,* véase pág. 6, 5.

12   *Curar de* = procurar, cuidar de; comunísimo.

13   "Plutarco, en el *Libro de la Curiosidad,* no dice que Filípides fué el primero inventor de las comedias, mas que fué escritor de comedias en tiempo del Rey Lisímaco, pero quién haya sido el primero que escribió comedias no consta entre los autores. Mucho antes de Filípides fué Aristófanes, Eupolis y Cratino, donde se sigue que Filípides no fué el primer inventor de comedias." P. de Rhua, carta III.

lo que su vezino hazía. Dado caso que hablar en
vidas agenas y querer saber lo que se haze en otras
casas sea muy gran curiosidad y aun ramo de
liviandad, mucho más lo es en querer saber qué
5 es lo que los reyes hazen; porque todo lo que los
Príncipes hazen hémoslo de aprovar y todo lo que
nos mandan obedescer.

APLICA EL AUCTOR

Aplicando lo dicho a lo que queremos dezir digo,
10 seteníssimo Príncipe, que a nadie con tanta verdad
se puede aplicar y a ninguno mejor que a mí pueden con ello condenar; porque no contento de reprehender a los cortesanos quando predico, me
prescio de ser también satírico y áspero en los li-
15 bros que compongo. Oxalá supiesse yo tan bien enmendar lo que hago como sé dezir lo que los otros
han de hazer. ¡Ay de mí, ay de mí!, que soy como
las ovejas que se despojan para que otros lo vis-
tan, como las abejas que crían los panales que otros
20 coman, como las campanas que llaman a missa y
ellas nunca allá entran; quiero por lo dicho dezir
que con mi predicar y con mi escrevir enseño a
muchos el camino y quédome yo descaminado. Sepa

---

1 *Dado caso que*. Lo que nuestros clásicos hacían oración concesiva, lo hacemos nosotros oración adversativa;
así debe entenderse la equivalencia de las partículas clásicas: *dado que, puesto que, dado caso que*, etc., con nuestro *aunque*. El cambio lógico ha traído el cambio gramatical.

4 *En querer* = queriendo. "El infinitivo tras *en* equivale a gerundio", dice el señor Rodríguez Marín en una
nota al Prólogo del *Quijote*.

vuestra Serenidad, muy alto Príncipe, que en todas las más cosas que en este vuestro libro escrivo
y reprehendo me confiesso aver caído, aver trope-
zado y aun me aver derrostrado; porque, si entre
los cortesanos soy el menor, entre los pecadores 5
soy el mayor. También confiesso que de algunas
vanidades y de algunas liviandades estoy apartado, y que de algunas presunciones y de algunas
elevaciones no estoy enmendado, aunque es verdad que de las unas y de las otras estoy muy arre- 10
piso; porque me paresce que es muy poco lo que
he bivido y es muy mucho en lo que he pecado. No
está lexos de enmendar la culpa el que tiene co-
noscimiento de aver caído en ella; lo qual no es
assí en el malo y protervo; porque jamás se apar- 15
ta de errar el que no se conosce aver errado. Y
porque no se puede entender bien esta obra si no
se tiene noticia del autor della, pornáse en una sola
palabra todo el discurso de su vida, para que co-
noscan los que leyeren esta escritura, en como toda 20
la harina le llevó el mundo y que apenas aun da
los salvados a Cristo. A mí, sereníssimo Príncipe,

---

4 *Derrostrarse* equivale a la frase vulgar, no por vulgar desdeñable, de *romperse las narices*. "Damos de rostro
en lo que vemos que era razón que no cayéramos." *Epistolario* del Beato Avila, epíst. XII.

10 *Arrepiso* = arrepentido. Es uno de los participios
fuertes en *su*, escasos en español. Antiguamente se usaba
prensu, *preso;* expensu, *espeso;* defensu, *defeso*, y analógi-
co *repiso* junto a *repentido*. Menéndez Pidal, *Gramática
histórica española*. "E como tramaron el destierro del condestable, lo destramaron, e... ahora se ven arrepisos." Cibdarreal, *Centón epistolario*, epíst. XVII, *Bibl. Rivad.*

12 *En lo que*. Sin antecedente expreso, si no queremos
decir que el antecedente es *lo*, debiendo ser entonces la
construcción lógica *lo en que*.

me truxo don Beltrán de Guevara mi padre de
doze años a la corte de los Reyes Católicos, vuestros avuelos y mis señores, a do me crié, crescí y
biví algunos tiempos, más acompañado de vicios
5 que no de cuydados; porque en edad tan tierna
como era la mía ni sabía desechar plazer, ni sen-
tía qué cosa era pesar. Como los moços cortesanos, aún no tienen en el cuerpo dolores, ni cargan
sobre sus coraçones cuydados, ni sienten lo que
10 hazen, ni saben lo que quieren; sino que como unos
hombres amodorriados se andan en los vicios embobescidos. Ya que el príncipe don Juan murió y la
reina doña Isabel fallesció, plugo a nuestro Señor
sacarme de los vicios del mundo y ponerme religio-
15 so franciscano, a do perseveré muchos años en compañía de varones observantísimos; y oxalá fuera
tal mi vida qual ellos me dieron la criança. Es-
tándome, pues, yo en mi monesterio, asaz descuydado de tornar más al mundo, sacóme de allí

1 *Truxo...* El supuesto *traxui* da *troxe*, convertido en
truxe por la tendencia de la lengua a la *u* tónica y por
virtud de la disimilación. "Pidió de cenar que le truxo
ella muy diligente." Tirso de Molina, *Los tres maridos burlados*. "Trújole el huésped una porción del mal remojado
y peor cocido bacalao." *Quij.*, parte I, cap. I. V. Juan de
Valdés, *Diál. de las lenguas*.
      9 En *cuydados* termina la prótasis de la oración.
      11 *Amodorriados...* Por confusión de las dos formas:
amodorrados y *amodorridos*. "Que le pudiese desamodorriar
de las cosas del mundo." Guevara, *Aviso de privados*, Prólogo. *Embobescidos*. Sin darse cuenta, sin reflexionar.
      12 *Ya que* = cuando ya. "Ya que les faltaba poco de
camino, a la mano derecha dél sintieron el son de un rabel
que acordaba..." Cervantes, *Galatea*, l. II. "Porque hombre
de tal valor | de sí mismo satisfecho | ya que el error está
hecho | sustentar debe el error." Juan Bautista Diamante,
El honrador de su padre, jorn. II.

para su predicador y cronista el emperador don
Carlos, mi señor y amo, en la corte del qual he
andado diez y ocho años sirviéndole de lo que él
quería, aunque no como yo devía. En estos tiempos passados vi la corte del emperador Maximi- 5
liano, la del Papa, la del Rey de Francia, la del Rey
de Romanos, la del Rey de Inglaterra, y vi las señorías de Venecia, de Génova y de Florencia, y
vi los Estados y casas de los príncipes y potentados de Italia; en todas las quales cortes vi grandes 10
cosas que notar y otras dignas de, contar. He dado
esta cuenta a Vuestra Alteza, muy alto príncipe,
para que sepáis que todo lo que dixere en este
vuestro libro este vuestro siervo no lo ha soñado
ni aun preguntado, sino que lo vió con sus ojos, 15
passeó con sus pies, tocó con sus manos y aun
lloró en su coraçón; por manera que le han de
creer como á hombre que vió lo que escrive y ex-
perimentó lo que dize. Siendo, pues, yo criado en
casas de príncipes, y comiendo pan de príncipes, 20
y andando en cortes de príncipes, y llevando gages

3 *Servir de.* "Dos mancebos... que servían de hacerle
las cobranzas de caja." Tirso de Molina, *Los tres maridos
burlados.* "Este muchacho que estoy castigando es mi criado que me sirve de guardar una manada de ovejas." *Quijote,* parte I, cap. IV.

12 *Vuestra alteza, vuestra serenidad, vuestra merced,
usted,* etc., son segundas personas por representación y terceras por naturaleza. "Ya que no puedo premiaros como
merecéis, doy á ustedes trescientos escudos." Tirso de Molina, *Los tres maridos burlados.* "Para amar la llamó Dios
[á V. M.], y no es cosa el amor para *regalaros.*" Beato
Avila, epíst. XXIII.

21 *"Gages* = el acostamiento, ó sea las mercedes que
el Príncipe da á los que son de su casa y están en su servicio." Covarr., *Tesoro...* "Lo más ordinario residía en

de príncipes, y siendo cronista de príncipes, no
sería justo que mis sudores y mis vigilias se de-
dicassen sino a príncipes; a cuya causa he querido
ofrescer e intitular esta mi obra a Vuestra Alte-
5 za como a príncipe muy valeroso y a rey muy poderoso. Después acá que saqué a luz el mi muy
famoso libro de *Marco Aurelio* he compuesto y
traduzido otros libros y tratados; mas yo afirmo
y confiesso que en ninguno he fatigado tanto mi
10 juizio, ni me he aprovechado tanto de mi memoria, ni he adelgaçado tanto mi pluma, ni he polido tanto mi lengua ni aun he usado tanto de elegancia, como ha sido en esta obra de Vuestra Alteza; porque a los grandes príncipes hémoslos de
15 hablar con humildad y escrevir con gravedad. En
ser para quien era esta obra, he tenido mucha
advertencia en que saliesse de mis manos mirada

Alora, y allí tenía cincuenta escuderos hijos-dalgo á los
gages del Rey *(a sueldo del Rey)* para la defensa y seguridad de la fuerza." Antonio de Villegas, *Hist. del Aben-
cerr. y la hermosa Jarifa.*

4 *Intitular.* "Algunos intitulan sus obras á personas
de estado para ser favorecidos." Fray Francisco de Ossuna, *Abeced. espiritual,* parte II, fol. VIII v.

6 En los clásicos es común que el adjetivo posesivo
lleve artículo. "Tiempo vendrá en que las vuestras señorías me manden y yo obedezca." *Quij.,* parte I, cap. II.
Así habla todavía el pueblo en la montaña de Burgos.

15 *En* con infinitivo = gerundio, o infinitivo con *al.*
"En escapar de la Corte ha de pensar que escapa de una
prisión generosa." Guevara, MENOSPRECIO, cap. IV. "En
verte bien quisto y favorecido de tan gran Rey, estimas
tanto el favor de los otros Reyes como sus privados esti-
marían el favor de sus acemileros." Villalobos, *Declaración
del Anfitrión,* cap. IX, *Bibl. clás.,* Barcelona. "Las damas,
en veros, dicen..." Libro intitulado *El Cortesano,* por don
Luis Milán, jornada I. "Para sanalle, untábale la cabeza
en tomalle el dolor." *Ibid.,* jorn. II.

y remirada, polida y limada, corregida y verdadera, sabrosa y provechosa, urbana y no pessada; de manera que no uviesse ella qué remendar y mucho menos qué cercenar. A cualquiera que se diga una cosa baxa y simple es bovedad, más escrevirla o dezirla al príncipe es bovedad y temeridad y aun nescedad; porque a los príncipes hanles de hablar con temor y servir con amor. El magno Alexandro ni alcançó ni conosció al poeta Homero; mas junto con esto fué tan amigo de sus escritos que siempre traía en el seno la *Ilíada* y de noche la ponía so el almohada. Pirro, rey de los epirotas, dozientos y veynte años nasció después que murió el filósofo Esquines; y tuvo en tanta veneración Pirro a la doctrina de Esquines, que con el oro que tenía enquadernadas sus obras se pudieran casar muchas huérfanas. Desde que murió el famoso Tito Livio hasta que nasció el buen Marco Aurelio passaron más de ciento y veinte años,

---

10 *Junto con esto* = no obstante, sin embargo. "Ya sabe que San Francisco el de Asís no comulgaba cada día ni San Francisco de Paula, aun despues de viejo, sino de ocho á ocho días. Y con esto entiendo que á los no tan sanctos es bien comulgar de ocho a ocho días." Beato Avila, epíst. III. Nótese aquí lo que hemos advertido en la página 37, 3. Lo que para nosotros es idea adversativa, para nuestros crásicos era copulativa.

11 Poníala á par de la espada, según escribe Onesicrito. "Se la llamó *Ilíada de la caja* porque, habiéndole presentado una cajita que parecía la más preciosa y rara de entre las joyas de Darío, les dijo a sus amigos que en aquella caja iba a colocar y tener defendida la Ilíada." Plutarco, *Vidas paralelas*.

15 Pirro nació en 316, a. de J. C., y murió en 272; Esquines nació en 389 y murió en 314. Es, pues, falso lo que afirma Guevara de los doscientos veinte años, como ya lo había censurado Rhua.

al cabo de los quales mandó el buen Emperador
que para guardar las obras deste Tito Livio, se
hiziesse una arca de oro y para entretener sus huesos le hiziessen un sepulcro de pórfido. Hermóge-
5 nes el filósofo y el gran rey Demetrio jamás se
vieron ni se conoscieron, porque el uno estaba en
Asiria y el otro en Grecia; mas junto con esto Hermógenes offresció muchos libros al rey Demetrio y
Demetrio hizo muchas mercedes al filósofo Hermó-
10 genes; de manera que los hizo tan grandes amigos
la pluma como a otros haze la patria. Todo esto
he dicho, muy alto Príncipe, para que no haga a
Vuestra Alteza tener en poco esta obra al averme
yo criado en Castilla y no tener noticia de mi per-
15 sona; porque, si no soy vuestro vassallo, présciome
de ser vuestro siervo. Si Vuestra Celsitud tie-

---

3   *Entretener* = contener, encerrar, tener dentro; etimológico de *intra tenere*.
7   *Junto con esto.* V. la pág. 13, 10.
13   En la pág. 11, 12, hemos dicho que *vuestra merced,
vuestra celsitud*, etc., son terceras personas por naturaleza
y segundas por representación. Por *representación* también son del género masculino o femenino, según la persona a quien representen. "Lo que yo confesaré es que *le*
amo como amigo y vuestra señoría a mí como a próximo,
aunque es verdad que *él*, como valeroso, me ha mostrado
la amistad en buenas obras, e yo á *él*, como hombre flaco,
no más de buenas palabras." Guevara, *Aviso de privados*,
Prólogo. "Cuente [V. M.], uno por uno, los beneficios que
le ha hecho en cuerpo y ánima desde que le crió y cuente
entre ellos que no siendo *él* [V. M.] digno de servirle de
moço de cocina, *le* dió en su casa tan honrado lugar de
sacerdote." Beato Avila, epíst. X. "¿Será desde aquí adelante, humilde y cuidadoso en su oficio, padre Rebolledo?"
"Seré Rebolledo —respondía— y todo lo que quisieren."
"Pues bese —le dijo—, bese los pies de ese religioso mal-
tratado por *él* y pídale venia." Tirso de Molina, *Los tres
maridos burlados*.

ne en tanto mi doctrina como yo tengo a su real
persona, soy cierto que él será para mí otro Demetrio y yo seré para él otro Hermógenes. Acordándome que sois nieto de quien yo fuí criado y
que sois primo de quien yo soy vassallo, gran obli- 5
gación es la mía de servirle y muy mayor merced
dél quererse de mí servir; porque los príncipes
muy mayor merced nos hazen cuando muestran lo
que nos quieren, que no quando nos dan lo que
tienen.   10

CONCLUYE EL AUCTOR

Si Vuestra Alteza quiere leer en esta mi obra,
hallará en ella algunas cosas, ninguna de las quales le ossaría nadie dezir en secreto y menos en
público; porque el trabajo que se passa con los   15
príncipes es que en sus casas y repúblicas tienen
todos licencia de lisongearlos y muy poquitos de
avisarlos. Si los príncipes os quisiéssedes un poco
humanar, es a saber, que tratássedes con hombres
sabios y leyéssedes en algunos buenos libros, por 20
ventura ahorraríades de muchos trabajos y aun
no cayríades en tantos yerros; mas como es vuestra voluntad tan libre y vuestra libertad tan grande, no venís a saber el daño hasta que ya no lleva
remedio. Tenéis, señor, fama de buen cristiano, de 25
príncipe justiciero, de rey virtuoso, de señor cuerdo y de hombre piadoso; y si junto con esto os
allegáis a consejo y os dexáis al parescer ageno,
assentaros hemos los cronistas entre los monar-
cas del mundo; porque a su príncipe y señor muy 30
mayor servicio le haze el que le da un buen con-

sejo que no el que le presenta un notable servicio.
No loo al cavallero que pierde la vergüença, ni loo
al que escrive si suelta la pluma, ni loo al que
predica si suelta la lengua, es a saber, en dezir
5 desacatos a los príncipes y contra los príncipes;
porque a los reyes y grandes señores permítese
avisarlos, mas no se suffre reprehenderlos. Quando el rey David cometió el adulterio con Betsabé
y el homicidio con Urías, no le reprehendió el pro-
10 feta Natán en público, ni le affrentó delante todo
el pueblo, antes le dixo aparte tan dulces palabras
y le convenció con tan buenas razones, que luego
allí el Rey conosció la culpa y començó a hazer
penitencia. Es tan suprema la auctoridad del Prín-
15 cipe, que absolutamente nos puede exortar, avisar, reprehender y castigar, y nosotros a él no
más de le avisar y aconsejar; porque a los buenos
príncipes por ninguna cosa se les ha de perder la
vergüença ni alçar la obediencia. De Catón Cen-
20 sorino y del emperador Augusto y del gran Trajano y del buen Marco Aurelio dizen todos sus escritos que por esso fueron príncipes tan ilustres

---

10 *Delante*, con valor de preposición; muy común.

12 *Luego allí;* el adverbio de lugar refuerza al de tiempo, acendrando su significación y dándole valor superlativo.
En el cap. VIII de este libro tendrá ocasión el lector de
reparar en otros superlativos de esta naturaleza.

15 *Absolutamente.* V. su significación en la pág. 5, 9.

17 *Más de, menos de,* se usaban con sentido exclusivo
en lugar de *más que, menos que.* "No puedes tú guardar
el secreto en que te va no menos de la privança y de la
vida..." Guevara, *Aviso de privados,* cap. XIX. "No saben
más de entenderlo quando lo leen ó lo oyen, mas sí saben
lo quieren contar a otros no aciertan." Francisco de Ossuna, *Abeced. espir.,* segunda parte, trat. XVI, cap. II.

en sus hazañas y tan bien quistos en sus repúblicas, porque tenían siempre cabe sí no sólo quien
los aconsejava lo que hazían, más aun quien los
avisava de lo que erravan. Lo contrario de todo
esto se lee de los malvados tiranos, de Brías el 5
griego, de Antenón el tebano, de Fálaris el agri-
gentino y de Dionisio el siracusano, los quales jamás quisieron ser de sus officiales avisados ni de
sus amigos aconsejados. No abasta tampoco que
tengáis los príncipes en vuestras cortes hombres 10
cuerdos y en vuestras casas hombres sabios, si
no queréis aprovecharos de sus buenos consejos;
porque seríades como la candela que alumbra a
los otros y quema a sí misma. La Escritura sacra
gravemente reprehende a Saúl porque no creyó a 15
Samuel, al rey Acab porque no creyó a Miqueas,
al rey Sedequías porque no creyó a Esaías, al rey
Salmanasar porque no creyó a Tobías y a la reina
Jezabel porque no creyó a Elías. Todos estos san-

---

5 *Brías:* "Nombre es de la misma fragua do salieron
Fabato, Neótido y Mirto..., nacidos de la cabeza de vuestra Señoría, como Minerva del celebro de Júpiter." P. de
Rhua, carta III. "Dígase lo mismo de Antenón tebano."
"Fálaris, tirano de Agrigento, quemaba a sus huéspedes
dentro de una vaca de bronce, fabricada por Perilo." Plutarco, *Paralelos.*

9 *Abastar, alançar, allegar, alimpiar, atapar, ajun-
tar...,* tan usados en tiempo de Guevara como sus simples.
"Para alimpiamiento de nuestros pecados." Fray Francisco Ortiz, *Epist. famil.,* epíst. II, *Bibl. Rivad.,* tomo XIII.
"Según mi flaqueza abastaré." Idem, epíst. V. "Señálame
tiempo en que ruegue... por tu pueblo, que las ranas sean
alançadas." Idem, epíst. VI. "Para atapar mis orejas."
Idem, epíst. VII. "De allá ajuntaré a esta narración el fin
de lo que será." Cibdarreal, epíst. VI. El pueblo conserva
todavía la preferencia de estos compuestos, a lo menos en
algunas regiones, como la montaña de Burgos.

tos profetas andavan en las cortes de los príncipes y predicavan a príncipes; a los más de los quales no sólo no los quisieron creer mas aun los man-
daron matar. La mayor ofensa que los príncipes
5 podéis hazer a Dios es no ossar nadie avisar a
vosotros y reprehender a vuestros cortesanos; lo
cual no devría ser assí, pues ay tanta necesidad
del predicador que reprehenda los vicios como de
la justicia que castigue los excessos. El rey Filipo
10 y el rey Demetrio nunca ellos enseñorearan a los
reinos de Grecia, si primero no alançaran della a
los filósofos que la governavan y con sus buenos
consejos la deffendían; que, como decía Catón cen-
sorino, no se pierden las repúblicas por mengua de
15 capitanes sino por falta de consejos. En verdad
que el buen Catón dezía la verdad; porque en una
república son muchos los hombres esforçados, animosos, atrevidos y denodados, y por otra parte son
muy poquitos y aun poquititos, los sabios, cuerdos,
20 suffridos y experimentados. Sea ésta la postrera
palabra y encomiéndela Vuestra Alteza a la memoria, y es que si queréis parescer y ser príncipe

---

10 *Enseñorearan, alcançaran.* Es el potencial de que
habla Cuervo en la 94 de sus *Notas a la Gramática de Bello;*
no designa tiempo determinado, y sólo presenta los hechos en sus relaciones de posibilidad o de dependencia mu-
tua. "Si el hombre guardara en el paraíso su mandamiento,
Dios conservara en el mundo su señorío." Guevara, *Marco
Aurelio,* 1. I. c. XXXI. "Si [Dios] olvidaros quisiera, no
os llamara ni halagara ni os hiziera tan dulces promesas."
Beato Avila, *Epistolario espiritual,* epíst. XIX.

19 *Poquititos,* diminutivo de diminutivo, muy del gusto
de Guevara. "O de quántos es esta virtud deseada y de
quán poquitos y aun poquititos es guardada." *Aviso de
privados,* cap. XX.

cristiano, si en vuestra corte uviere quien sea vicioso y quien sea satírico, antes favoresced al predicador que reprehende el vicio que al cavallero que es vicioso. Puédese de todo lo sobredicho coligir que la differencia que va de lo uno a lo otro 5 es, que al buen príncipe óssanle avisar y al que es tirano aun no le ossan hablar. Lo que siempre al Emperador mi señor y amo he persuadido en los libros que le he escrito y lo que en mis sermones le he predicado y lo que de persona a persona 10 le he hablado es, que se llegue siempre a consejo y admita algún particular aviso; porque el consejo le aprovechará para lo que ha de hazer, y el aviso, para lo que se ha de guardar.

A Vuestra Celsitud, serenísimo Príncipe, aun- 15 que no tengo auctoridad para le aconsejar ni atrevimiento para le avisar, tengo humildad para humilmente le suplicar resciva en servi-

---

2 *Satírico*. Censor de los vicios.

4 *Coligir*, forma asimilada, como *eligir, complisión,* etcétera.

18 *Humilmente*, etim. de *humili mente,* sin epéntesis de la *d.* "Le suplico humilmente no mire tanto á lo que digo quanto a lo que yo quería dezir." Guevara, *Letra para el Gran Capitán*, I, 9. "Humilmente, señora, os suplico que atajéis estos males." Idem, *Letra para doña María Pacheco*, I, 47.

18 Ningún clásico se ha agradado tanto como Guevara en intercalar palabras entre el infinitivo y su preposición regente, la prueba se halla en cada página. La construcción tradicional de la edad media de la literatura española no había podido ser desarraigada en Guevara por las nuevas y más amplias tendencias del Renacimiento, en el cual, si entró Guevara, entró como a remolque, sin fundirse de lleno en sus moldes. Su desdén por la investigación, su menosprecio de los historiadores clásicos, su afición a las

cio este pobre servicio y tome al auctor so su amparo.

Posui finem curis;
Spes et fortuna, valete.

---

viejas compilaciones de anécdotas, que no de historia verdadera, son otras tantas razones de lo que acabamos de apuntar.

COMIENÇA EL LIBRO LLAMADO "MENOSPRECIO DE COR-
TE", DIRIGIDO AL MUY ALTO Y MUY PODEROSO SEÑOR
EL REY DE PORTUGAL DON JUAN TERCERO DESTE
NOMBRE, COMPUESTO POR EL ILUSTRE SEÑOR DON
ANTONIO DE GUEVARA, OBISPO DE MONDOÑEDO,
PREDICADOR Y CRONISTA Y DEL CONSEJO DE SU
MAGESTAD.

CAPÍTULO I

DO EL AUCTOR PRUEVA QUE NINGÚN CORTESANO SE PUEDE QUEXAR SINO DE SÍ MISMO

Theophrastus philosophus memoriae prodidit Philippum, Alexandri patrem, non solum dignita- 5
te et armis sed etiam prudentia, eloquentia et mo-
ribus multo aliis regibus praestitisse. Athenienses
igitur beatos esse dictitabat ut qui singulis quibus-
que annis decem invenirent quos imperatores eli-
gerent; se namque unum dumtaxat imperatorem 10
per multos annos invenisse, scilicet, suum Parme-
nionem amicum. Commulti successus praeclari uno
die sibi muntiati forent, inquit: o fortuna, pro tot
tantisque bonis exiguo me aliquo malo affice. De-
victi sautem graecis, cum quidam ipsi consulerent 15
ut praesidis urbes contineret, inquit: malo diu be-
nignus quam brevi tempore dominus appellari. In
fuga vero quadam, cum siccisque ficubus et pane

---

18   Hasta aquí está tomado de Plutarco, en sus *Apotegmas griegos.* Lo que sigue lleva el cuño del estilo gue-
variano; los hechos estarán aprendidos en algún anecdota-
rio, pero la latinización semeja ser arreglada. El *De hoc
hactenus* lo emplea Guevara frecuentemente para dar por
finiquito un asunto cualquiera.

hordaceo vesceretur, inquit: qualis voluptatis in-
expertus eram. Saepe imo saepissime Philippus di-
cebat, eum qui regem alloquuturus esset bissinis et
mollibus uti verbis. Cum quidam scutum pulche-
5 *rrime ornatum ostentaret, inquit: graecum virum*
decet magis in dextra quam in sinistra spem ha-
bere; etc. De hoc hactenus.

Después que este muy ilustre príncipe Filipo
venció a los atenienses, aconteció que como una
10 noche estuviesse cenando y se moviesse plática entre él y los filósofos que allí se hallavan sobre quál
era lo mayor cosa que avía en el mundo, dixo un
filósofo: la mayor cosa que ay en el mundo es a mi
ver el agua, pues vemos que ay más della sola que
15 de todas las otras cosas juntas. Otro filósofo dixo,
que la mayor cosa del mundo era el sol, pues sólo
su resplandor abasta a alumbrar el cielo y al aire
y a la tierra y al agua. Otro filósofo dixo, que la
mayor cosa del mundo era el gran monte Olimpo,
20 la cumbre del qual sobrepuxaba al aire y que de
lo alto dél se descubría el mundo todo. Otro filósofo dixo que la mayor cosa del mundo era el muy

---

13 "Esto todo ser fábula inventada por algún fabula-
dor y no escripta por historiador, consta de las respuestas
de los dichos filosóficos." P. de Rhua, carta III.

14 *Della,* fundida la preposición con el pronombre; aunque es forma predominante en Guevara, no es exclusiva,
sino que coexiste con la forma separada como en los demás clásicos.

19 "El monte de Tesalia, que es el que entre los cuatro
Olimpos es celebrado por más alto, tiene de alto poco más
de diez estadios, que hacen una milla y cuarta parte de una
milla, según escribe Plutarco en la *Vida de Paulo Emilio,*
y así, con tan pequeña altura, no podía ser atalaya de
donde todo el mundo ni aun toda la Grecia se viese." P. de
Rhua, carta III.

famoso gigante Atlas, sobre la sepultura del qual
estava fundado el espantable monte Etna. Otro
filósofo dixo que la mayor cosa del mundo era el
gran poeta Homero, el qual fué en la vida tan
famoso y en la muerte tan llorado, que pelearon 5
entre sí siete muy grandes pueblos sobre quien
guardaría sus huesos. El postrero y más sabio filósofo dixo: *"Nihil aliud in humanis rebus est
magnum nisi animus magna despiciens."* Quiso por
estas palabras dezir: ninguna cosa con verdad se 10
puede en este momento llamar grande, si no es
el coraçón que desprecia cosas grandes. O alta y
muy alta sentencia, digna por cierto de notar y
aun de a la memoria encomendar; pues por ella
se nos da a entender que las riquezas y grandezas 15
desta vida es muy más digno y de mayor gloria

---

1 "Que el gigante Atlas esté puesto so el monte Etna
hasta este filósofo que sólo vuestra Señoría conosce, ninguno otro lo ha dicho. Del gigante Tifeo dicen los poetas
que tiene allí su sepultura, por cierto rasgo de autoridad
y aun moralidad, que dejo por no ser prolijo y no salir de
propósito." P. de Rhua, carta III.

7 "Cuanto á lo que dice de Homero, ni cuando murió
Homero le lloraron tantos pueblos, porque más fué afama-
do después de muerto que conoscido cuando vivió; ni jamás
pelearon entre sí siete pueblos sobre averiguar quién lle-
varía sus huesos; compitieron siete ciudades en porfía de
palabras sobre dó nasció Homero..., mas á manos nunca
llegaron, ni sobre llevar sus huesos ni sobre de dónde era
natural, y ansí parescerá por Plutarco en la vida de Homero y en la de Sertorio y en la oración de Tulio *pro Ar-
chia*, y en *Aulo Gelio*, en el capítulo once del tercero libro."
P. de Rhua, carta III.

11 El *es* de la preposición exceptiva es redundante,
como el *no* de que hicimos mérito en la pág. 4, 1. Pero
bien podíamos decir que tales preposiciones no son excep-
tivas, sino condicionales negativas, y entonces el *no* es necesario. Cuestión de lógica.

el que tiene ánimo para menospreciarlas, que no
el que tiene ardid para ganarlas. Tito Livio alaba
y nunca acaba de alabar al buen cónsul Marco Curio, a la casa del qual, como viniessen los embaxa-
5 dores de los samnitas a capitular con él cierta tierra y para esto le offresciessen mucha plata y oro
y él estuviesse a la saçón lavando unas berças y
echándolas a cocer en una olla, respondióles estas
palabras: "A los capitanes que se desprecian de
10 adereçar su olla y cenar tal cena como ésta, a essos
avéis vosotros de llevar todo esse oro y plata, que
yo para mí no quiero otras mayores riqueças sino
ser señor de los señores dellas." ¿Por ventura no
meresció más gloria este cónsul Marco Curio por
15 los talentos de oro y plata que menospreció de los
samnitas que no el cónsul Lúculo por lo que robó
a los esparciatas? ¿Por ventura no meresció más
gloria el buen filósofo Sócrates por las grandes riquezas que echó en los mares que no el rey Na-
20 bucodonosor por los muchos tesoros que robó del

---

8   "Ni en *Tito Livio* leyó nuestra Señoría esto, porque
en la década segunda, en que Tito Livio escribió la guerra
que Curio hizo contra los samnites, no se halla; ni Lucio
Floro, en el Epítome del libro once dice tal... Plutarco en
la *Vida de Catón Censorio*, dice que estaba asentado al fuego, poniendo lumbre á unas rafas que cocía." P. de Rhua,
carta III. V. También los *Apotegmas*, de Plutarco.
16   "Lúculo nunca robó á los esparciatas (espartanos);
robó él a Mitridates y á Tigranes y á toda Asia menor y
Armenia, mas á los esparciatas ni los robó, ni tenían ellos
qué les pudiesen robar." Rhua, carta III.
19   "Que Sócrates echase las riquezas en el mar, nunca tal se lee, ni en autores griegos ni en latinos. Crates tebano fué el que lo hizo, según paresce por Laercio y por
Valerio." Rhua, carta III.

templo? ¿Por ventura no merescieron más gloria
los de las islas Baleares en no consentir entre sí
aver oro ni plata, que no los vanos griegos que
por robar minas de España vinieron a ella desde
Grecia? ¿Por ventura no fué mayor el ánimo del 5
buen Emperador Augusto en menospreciar el imperio, que no el de su tío Julio César en ganarlo?
Para emprender una cosa es menester cordura;
para ordenarla, experiencia; para seguirla, industria; y para acabarla, fortuna; mas para susten- 10
tarla digo que es menester buen esfuerço, y para
menospreciarla, grande ánimo; porque más fácilmente menosprecia uno lo que vee con los ojos,
que no lo que ya tiene entre las manos. A muchos
ilustres varones emos visto sobrarles fortuna para 15
emprender y aun para alcançar grandes cosas y
después no tener ánimo para descargarse y ali-
viarse de ninguna dellas; de lo qual se puede muy
bien coligir que la grandeza del coraçón no consiste en alcançar lo que el mundo dessea, sino en 20
menospreciar lo que él más ama. Apolonio Tianeo
menospreció a su propia patria y atravesó toda la
Asia por irse a ver con el filósofo Hiarcas en la
grande India. El filósofo Aristóteles menospreció
la gran privança que tenía con el rey Alexandro, 25

---

1   V. libro de los Reyes, cap. XXV, vers. 13, 14, 15
y 16.
6   "Cada diez años volvía á renovar la escena de suplicar de rodillas le relevaran de la grave responsabilidad
del gobierno del mundo y de hacerse rogar para que si-
guiera en su puesto." César Cantú, *Historia Universal.*
13   *Vee,* sin refundir las dos vocales iguales, que el
vulgo tal vez no ha llegado a refundir nunca, pues hoy
dice *vey,* no *ve,* como dice *ley* por *lee,* disimilando y no
refundiendo.

no por más de por tornarse a su academia a leer
filosofía. Nicodio el filósofo menospreció el inmen-
so tesoro que le dava el gran rey Ciro, por no le
querer seguir en la guerra ni doctrinar en la paz.
5 Anoxilo el filósofo tres vezes menospreció el prin-
cipado de la república de Atenas, diziendo que más
quería ser siervo de los buenos que no verdugo de
los malos. Cecilio Metelo, famoso capitán romano,
nunca quiso aceptar la dictaduría que le davan ni
10 el consulado que le offrescían, diziendo que quería
comer en paz lo que con mucho trabajo avía ganado en la guerra. El gran emperador Diocleciano a todo el mundo es notorio de cómo renunció
el imperio, y esto no por más de por huir los bu-
15 llicios de la república y por gozar del reposo de
su casa. En mucho se ha de tener el hombre que
tiene coraçón para menospresciar un reino o un
imperio; mas yo en mucho más tengo el que menosprescia a sí mismo y que no se rige por el su
20 parescer propio; porque no ay hombre en el mundo que no esté más enamorado de lo que quiere
que no de lo que tiene. Por muy ambicioso y por
más codicioso que sea un hombre, si camina diez
días tras el tener, caminará ciento en pos del que-
25 rer; porque los trabajos que los hombres passan

---

1 *Mas de*, con significación exclusiva, véase pág. 16, 17.
2 "Nicodio y Anaxilo, nombres son de la mesma fragua do salieron Fabiato y Neótido y Mirto y Miltas y
Aznarco y Brías, de que en diversas partes usa, nascidos
de la cabeza de vuestra Señoría, como Minerva del celebro de Júpiter." P. de Rhua, carta III.
19 *El su*, véase pág. 12, 6.
25 *passar* = padecer. "Rescibí la letra de vuestra Señoría en que mostráis sentimiento por los trabajos que
pasáis." Fernando del Pulgar, letra XIII, *Bibl. Rivad.*,

no es por tener lo que deven, sino por alcançar
lo que quieren. Si caminamos, si nos fatigamos,
si trasnochamos y nos desvelamos, no es por cumplir con la necessidad, sino por satisfazer a la
voluntad; y lo peor de todo es que, no contentos 5
con lo que podemos, procuramos de poder lo que
queremos. O quántos en las cortes de los príncipes
emos visto, a los quales les estuviera mejor el
nunca ser señores de su poder ni de su querer;
porque después, haziendo todo lo que podían y lo 10
que querían, vinieron a hazer lo que no devían.
Si al hombre que offendimos emos de pedir perdón, pida cada uno perdón a sí mismo antes que
no a otro; porque ninguno desta vida me ha a
mí tanto mal hecho como yo mismo a mí mismo 15
me he procurado. ¿Quién me enriscó a mí en la
cumbres de la sobervia sino sola mi presumpción
y locura? ¿Quién ossara entosicar al triste de
mi coraçón con la ponçoña de la embidia sino sola
mi presumpción y locura? ¿Quién ossaría encen- 20
der y soplar a cada passo en mis entrañas el fuego de la ira, si no fuesse mi muy grande impa-

---

tomo XIII. "¿Cuántos son los males que pasan los nave-
gantes é los que andan camino?" Idem, letra XXIII.

6 *Procurar de...* "Cada uno procuró de seguir su propósito." F. del Pulgar, letra XVI. "¿Y qué cosa sea este
amor ferviente, procuraldo de tener y sabréslo." Fray
Francisco Ortiz, epíst. I.

14 Es muy común en los clásicos no repetir el pronombre. En Guevara ocurre lo mismo con los pronombres de
segunda y tercera persona; en los de primera, si vamos a
hacer estadística, hallaremos ser más las veces que le re-
pite que las que no; en esta misma página tiene el lector
la prueba.

18 *Entosicar* = envenenar.

ciencia? ¿Quién es la causa de ser yo entre los
manjares tan desordenado, si no es el averme yo
criado tan regalado y goloso? ¿Quién ossaría irme
a mí a la mano para no repartir mi hazienda con
5 los pobres necessitados, si no es el ser yo muy
amador de mis propios dineros? ¿Quien da licencia a mi propia carne para que se levante contra
mis sanctos desseos, si no es el mi coraçón que
anda enconado con pensamientos livianos? De to-
10 dos estos daños y de tan notorios agravios, ¿a
quién pornéis vos la demanda, o alma mía, si no
es a mi sensualidad propia? Gran locura es, estando el ladrón en casa, salir fuera a hazer la pesquisa. Quiero por lo dicho dezir que es gran va-
15 nidad y aun liviandad, estando en nosotros la culpa, formar contra otros la quexa; porque nos emos
de tener por dicho que jamás nos acabaremos de
quexar sino quando nos començáremos a enmendar. O quántas y quántas vezes en el centro de
20 nuestros coraçones se andan peleando y trebejando
la virtud que me obliga a ser bueno y la sensualidad que me combida a ser vano y liviano; de la
qual pelea se sigue quedar el mi juizio ofuscado,
el entendimiento turbado, el coraçón alterado y
25 yo mismo de mí mismo enagenado. El poeta Ovidio cuenta de la muy enamorada Filis la Rodana
que de sí misma y no de otro se quexaba quando
dezía: "*Remigiumque dedi quo me fugiturus abi-*

---

11 *Poner la demanda* es pedir algo judicialmente.
20 "*Trebejar* = enredar, travesear." *Dic. de Autorid.*
Aquí, en sentido recíproco, vale lo mismo que *armarse zan-
cadillas, hacerse travesuras.*
26 "Filis no fué de Rodas, sino traciana, que por eso la
llamó Ovidio Rodopeya." P. de Rhua, carta III.

res; heu patior tellis vulnera facta meis." Como
si más claro dixera: o Demofón amigo y enamorado mío, si yo no empleara mi coraçón en te amar,
ni diera dineros para te ir, ni aparejara naos para
tú navegar, ni capitulara con los cossarios para 5
te assegurar, ni tú te ossaras ir, ni yo tuviera de
qué me quexar; por manera que con mis propias
armas fueron mis entrañas heridas. Si creemos a
Josefo en lo que dize de Mariana, y a Homero
en lo que dize de Elena, y a Plutarco en lo que 10
dize de Cleopatra, y a Marón, en lo que dize de
la reina Dido, y a Teofrasto en lo que dize de Po-
licena, y a Xantipo en lo que dize de Camila, y
a Asenario en lo que dize de Clodra, no se quexa-
ban tanto aquellas excelentes princesas de las bur- 15
las que sus enamorados les avían hecho, quanto
de sí mismas por lo que les avían creído y aun
consentido. Si a Suetonio y Xantipo y Plutarco
damos fe en lo que cuentan del gran Pompeyo y
del rey Pirro y del famoso Aníbal y del cónsul 20

1 *Heroidas*, por Ovidio Nasón, epíst. II. "¡Ay, que
furiosa y en tu amor constante, | Las naves rotas renové
en que fueses | Y burlases de mí cual de ignorante! | Dite
los remos con que más huyeses, | Mas ¡ay! que las heri-
das siento dadas | Con las armas que di con que las die-
ses." Traducción por Diego Mejía del pasaje citado.

6 *Assegurar*. En esta palabra termina la prótasis de
la oración. Sobre el valor de potencial del imperfecto en
ra, véase la pág. 18, 10.

14 "Que Teofrasto haya escrito de Polixena, no se hallará; ni Jantipo de Camila, ni Asenario de Clodra, como
Arsenoides de Melisenda, que son nombres quimerizados
también, como Alquimio, filósofo de Demetrio." P. de Rhua,
carta III. De las mujeres célebres que aquí cita Guevara
da noticia el libro *De las claras mujeres*, del condestable
don Alvaro de Luna, reimpreso en edición crítica por don
Manuel Castillo, director del Instituto de Cáceres.

Mario y del ditador Sila y del invencible César y del desdichado Marco Antonio, no llevaron tanta lástima deste mundo por averlos la fortuna tan cruelmente abatido y atropellado, quanto por aver-
5 se en sus prosperidades mal regido y de sí mismo tanto confiado. No es menos sino que algunas vezes los parientes y amigos nos alteran y desassossiegan; mas al fin los grandes trabajos y famosos enojos nadie nos los viene a traer, sino que nos-
10 otros mos los imos a buscar; y paresce esto claro en que nos metemos en negocios tan enconados y tan mal digestos que no podemos salir delos sino lastimados o descalabrados. Muchos cuentan que tienen enemigos y no se acuerdan de contar a sí
15 entre ellos, como sea verdad que no aya hombre

---

6 *Sino que...*; el valor de esta partícula, cómo ha advertido ya el señor García de Diego en el *Epistolario* del Beato Avila, es hacer adversativa la segunda preposición, rompiendo la subordinación que semeja tener de la primera.

10 *Imos* = etimológico de *imus;* ésta y la segunda persona también de plural son las únicas en que ha dejado descendencia castellana el presente latino de *eo, is, ire.* "Aquel Señor con quien imos a tratar es Dios y hombre." Beato Avila, epíst. IV. "Si á la sazón que imos a visitar algún cavallero ó privado, quisiere el tal salirse á passear." Guevara, *Despertador de Cortesanos,* cap. VI. "Para qué is á los templos." Guevara, *Aviso de privados,* cap. XVIII. "Escrevisme, señor, que ruegue a Dios por vuestra salud y victoria a causa que por mandado de César ys a cercar a Fuenterrabía..." Guevara, *Letra para el condestable don Iñigo de Velasco,* I, 2.

10 *Parecer* por *aparecer,* es muy común. "Manifiesta cosa es que el medio tiene participación con los extremos, según parece aun en las divinas Personas." Francisco de Osuna, *Abecedario espiritual,* parte II, Pról.

14 *A sí...,* sin repetición, y unas líneas después, *a mí mismo me...* V. pág. 29, 14.

en el mundo que tenga a otro por mayor enemigo como es cada uno de sí mismo; y el mayor daño que en esto ay es que so color de quererse aprovechar y mejorar, yo mismo a mí mismo me echo a perder. Preguntado el filósofo Neótido que quál 5 era el más sano consejo que entre todos los consejos un hombre para sí podía tomar, respondió: no ay para el hombre otro tan sano consejo como es pedir a otro consejo y no fiarse de su parescer propio. Discreta respuesta y aun famosa dotrina 10 fué la deste filósofo; porque en esta vida ninguno puede hallar tan gran tesoro como el hombre que halla a sí mismo; y por el contrario ninguno tanto pierde como el que a sí mismo de sí mismo se pierde. Los hombres cuerdos más de sí que no de 15 otros han de andar sospechosos y recatados; porque al mejor tiempo la vida los engaña, los males los saltean, los pesares los prendan, los amigos los dexan, persecuciones los acaban, descuydos los atormentan, sobresaltos los espantan y aun am- 20

5 *Neótido*. Filósofo manual engendrado por el propio Guevara para su menester.

16 *"Recatarse* = andar con aviso y cuydado de alguna cosa que le puede suceder." Covarrubias, *Tesoro*.

18 *"Prendar* = sacar alguna alhaja o prenda para la seguridad de una deuda o para la satisfacción de algún daño cometido." *Dicc. de Autor*. Es metátesis de *pendrar* o *peyndrar*, antiguos derivados del latino *pignorare*. "Que den el diezmo bien et complida mientre... et si ffazer non lo quisieren peyndrad les todo cuanto les ffallardes." *Arch. Cat. de Burgos*, vol. 48, doc. 45. Y en el vol. 45, doc. 3.º *pendrar, pendró, peyndrasse*. En el señorío de Lara, Burgos, las multas vecinales se llaman *prendadas* y dicen *pagar la prendada puesta por el alcalde*.

20 *Y aun*. Tampoco este *aun* y sus similares son ponderativos, sino que equivalen a *finalmente*, como remate

biciones los sepultan. Si quisiéssemos mirar lo que
somos, y de qué somos, y qué somos, y para lo que
somos, hallaríamos por verdad que nuestro comien-
ço es olvido, el medio, trabajo; el fin, dolor, y todo
5 junto un manifiesto error. O quán triste, o quán
miserable es esta vida, en la cual ay tantos desmanes en el caminar, tantos lodos do entrampar,
tantos riscos de do caer, tantas sendas a do errar,
tantos puertos por do passar, tantos ladrones a
10 quien temer y aun tantos desmanes en el negociar, que muy poquitos son los que van por do
querrían ni aun allegan a do desseavan. Todas estas cosas emos dicho para que vean nuestros cortesanos en como ni ellos ni yo sabemos amar ni
15 menos aborrescer, eligir lo bueno y desechar lo
malo, evitar lo que daña y conservar lo que aprovecha, seguir la razón y apartar la ocasión; sino
que si nos sucede bien alguna cosa damos las gracias a la fortuna, y si mal, quexámonos de nues-
20 tra mala dicha.

---

de una enumeración. Se ofrecen muchos ejemplos en el de-
curso de la obra.

7 *Lodo* = lodazal o pantano donde se hunden los pies
y quedan *entrampados* como en cepo. "¿No te parece ani-
malia que será bien dar con mi cuerpo en algún govierno
provechoso que nos saque el pie del lodo?", *Quij.*, segunda parte, cap. V.

13-14 *Ver en* es reparar en, como *ver de* es cuidar,
tratar de.

15 *Eligir*, forma asimilada, véase pág. 19, 4.

CAPITULO II

QUE NADIE DEVE ACONSEJAR A NADIE SE VAYA A LA
CORTE O SE SALGA DE LA CORTE, SINO QUE CADA
UNO ELIJA EL ESTADO QUE QUISIERE.

Aristarco, el gran filósofo tebano, dezía: *"quid* 5
optes aut quid fugias nescis; ita ludit tempus".
Como si más claro dixesse: es el tiempo tan mu-
dable y es el hombre tan viariable, que ni sabe lo
que ha descoger ni puede atinar a lo que se ha de
guardar. No ay cosa más averiguada que lo que 10
este filósofo dize; pues menos cada día que con lo
que uno sana otro enferma, con lo que uno mejora
otro empeora, con lo que uno prevalesce otro se
oscuresce, con lo que uno ríe otro sospira, con lo
que uno se honra otro se affrenta, y aun con lo 15
que uno está contento bive otro desesperado. Pre-

---

5 "Aristarco el gramático, alejandrino fué; Aristarco
el poeta, tegeático; mas Aristarco tebano no se lee quién
fué." P. de Rhua, carta III.

9 *Descoger,* fundida la proclítica con el verbo, al igual
que con los pronombres personales y demostrativos; véase
página 4, 14. "Que si él mirasse bien en ello, se avia da-
legrar en hazimiento de gracias." P. Osuna, *Abecedario
espiritual,* segunda parte, trat. IV, cap. II.

13 *Prevalescer,* medrar, valer más.

guntado el filósofo Alquimio por su amo el rey Demetrio en qué estava el mayor trabajo desta vida,
respondió: no ay cosa en que no aya trabajo, no
ay cosa en que no aya zoçobra, no hay cosa en
5 que no aya sospecha, no ay cosa en que no aya
peligro, ni ay cosa en que no aya congoxa, y sobre todos es el mayor trabajo no tener el hombre en ninguna cosa contentamiento. En verdad
que dixo la verdad este filósofo; porque si en al-
10 guna cosa, por ínfima que fuesse, hallássemos contentamiento, en ella y no en otra porníamos nuestro paraíso. De bivir como bivimos todos tan descontentos querríamos provar a qué sabe el ser rey,
a qué sabe ser cavallero, a qué sabe ser escudero,
15 a qué sabe ser casado, a qué sabe ser religioso, a
qué sabe ser mercader, y a qué sabe ser labrador
y aun pastor; y al fin, después de todo provado, no
fácilmente se sabrían determinar quál de aquellos
estados avían de elegir. El que es loco con cual-
20 quiera cosa se contenta, mas el que es cuerdo no
fácilmente se arroja ni determina; porque, si en
el estado pequeño es la pobreza muy enojosa, también en el estado alto es la fortuna muy sospechosa.
Plauto el filósofo fué en su mocedad muy humano

---

1 *Alquimio*, véase pág. 31, 14.
12 *De bivir...* Si no queremos que sea oración elíptica,
supliendo detrás de "descontentos" *nace que...*, hay que
conceder que la preposición *de* tiene aquí valor causal,
equivalente a *por*, como cuando va con nombres. "Loar le
han todos que dejó la corte de cuerdo." "No ossase tornar
á la corte de verguença." MENOSPRECIO, cap. III. "Como
passó su agosto y vendimias y están ellas de muy añejas,
acedas..." Idem, cap. XI. "Quebrándole la cabeza de mucho hablar." *El Cortesano*, por don Luis Milán, jorn. II.
24 "Plauto no fué filósofo, sino poeta de Sarsina, es-

y aun mundano; porque anduvo en la guerra, na-
vegó por mar, fué panadero, trató en mercadería,
vendió azeite y aprendió un oficio de sastre. Preguntado este filósofo en qué oficio avía estado más
contento y se avía hallado más assossegado, res-   5
pondió: no ay estado en que no aya mudança, no
ay honrra en que no aya peligro, no ay riqueza en
que no aya trabajo, no ay prosperidad que no se
acabe, ni aun plazer que no amargue; y si en algo
yo tomé descanso, fué después que me di a los li-   10
bros y me aparté de los negocios. Como hombre
cuerdo y bien experimentado habló este filósofo.
En quanto en este mundo bivimos todo lo desseea-
mos, todo lo tentamos, todo lo procuramos y aun
todo lo provamos; y al fin, después de todo visto   15
y gustado, con todo nos cansamos y con todo nos
ahitamos. Muy gran parte de nuestro descontento
está en que lo mucho nuestro nos paresce poco y
lo poco ageno nos paresce mucho. A la riqueza
nuestra llamamos trabajo y en la pobreza agena   20

---

criptor de comedia, pobre, tanto que ganaba cada día jor-
nal a traer una atahona en casa de un panadero." P. de
Rhua, carta III.

9 *Ni aun* = ni tampoco, véase pág. 6, 5.

9 "Huyamos el peligro de la vanagloria, que es muy
grande, porque toma fuerzas para tentarnos con las mismas obras buenas que hacemos." Granada, *Símbolo de la
fe*, II, IX. "Con apercibimiento que hago ante todas cosas al que esto oyere o leyere, que no tomará tanto gusto
en leer estos consejos cuanto provecho le hará el obrarlos."
Guevara, *Letra para el comendador Luis Bravo*, I, 31.

13 *En quanto* = mientras. "Los hombres bulliciosos no
andan a buscar sino tiempos revueltos, porque les parece
que en cuanto duraren aquellos bullicios, si al que no,
comerán de sudores ajenos." Guevara, *Letra para el obispo de Zamora don Antonio de Acuña*, I, 43.

dezimos que está el reposo. El estado que los otros
tienen aprovamos y a nuestra manera de bivir con-
denamos. Velamos por alcançar una cosa y desve-
lámonos por salir luego della. Imaginamos que
5 biven todos contentos y que solos nosotros somos
los desdichados, y lo peor de todo es que creemos
en lo que soñamos y no damos fe a los que vemos.
Qué camino tomaremos o qué estado seguiremos
ninguno lo puede saber y menos a otro aconsejar;
10 pues vemos que si el navegar es peligroso, también
el estar en calma es enojoso. En caso de bivir muchas vezes vemos que se caen muertos los sanos
y escapan los oleados. En caso de caminar vemos
que muchas vezes llega más aína el que no dexó
15 el camino y se perdió el que fué por el atajo. En
caso del tener y del valer vemos muchas vezes qué
bive más contento uno con lo poco que tiene que
otro con lo mucho que vale. En caso del favor o
disfavor vemos muchas vezes que la fortuna fa-
20 voresce más a los que están holgando, que no a
los que andan sudando. Puédese de todo lo sobredicho coligir que no ay en este mundo cosa más
cierta que ser todas las cosas inciertas. Aplicando,
pues, lo dicho a nuestro propósito, dezimos que es
25 gran temeridad y aun no sé si liviandad aconsejar
a nadie que sea casado, aprenda letras, siga la guerra, se haga clérigo, se meta religioso, aprenda
officio o ande a palacio; porque en este caso nadie

---

13 *Oleados* = ungidos con los santos óleos, extremaun-
ciados. "De los oleados pocos escapan", dice el refrán.
14 *Aina* = pronto.
28 *Andar*, por *ir*, era usual "Ca el mal ojo es con el
Rey de Navarra, que no trata de andar a su reino." Cibdarreal, epíst. XVIII. "Juan Hurtado de Mendoza..., dijo

se ha de atar a lo que otro le dize, sino mirar la
inclinación que tiene. Plutarco en los libros *De
república* loa mucho al divino Platón, en la academia del qual primero provavan a los discípulos
que le traían las inclinaciones que tenían, que no   5
que les enseñassen las sciencias que querían; por
manera que si veían ser inclinado a las letras, que-
dávase en la academia, y si no, tornávase a deprender officio en la república. Alcibíades el griego, aunque le pusieron desde muy niño al estudio,   10
muy mejor maña se dió después en el pelear que
entonces se dió en estudiar. Al que es esclinado
a ceñir espada muy mal se le assienta la estola.
Al que de su natural es encogido, pecado sería
llevarle a palacio. A la que dessea tener marido   15
muy pesado se le hará el velo negro. Al que es
inclinado a picar muelas en valde le enseñan amolar navajas. Al que de suyo se da al texer pecado
es mandarle pintar. Lo que dezimos destos pocos
oficiales podríamos dezir y exemplificar de todos   20
los otros. Aconsejar a uno que tome alguna manera de bivir, lóolo; mas señalarle el officio que ha

---

al P. Finestrosa cuando era para finarse, que andaba de
buena gana por no quedar a gustar las desaventuras de
nuestros días." Idem, epíst. V.
  8 *Deprender* = aprender.
  17 *Muelas* = piedras de moler.
  17 *Amolar* es complemento directo de enseñar. "Man-
dad al maestre sala que enseñe a los pajes andar limpios."
Guevara, *Letra para don Pedro de Acuña, conde de Buendía.* "El Espíritu consolador... more en V. S. y le enseñe
agradar a Dios." Beato Avila, epíst. XVIII, edición de
García de Diego. "Aquí nos enseña este Señor traer so-
juzgada y sopeada la carne para vivir conforme a las
leyes del espíritu." Granada, *Símbolo de la fe*, segunda
parte, cap. IX.

de tomar, repruévolo. Licurgo, dador que fué de
las leyes de los lacedemoneos, mandó que sus padres pusiessen a sus hijos a officios, cumplidos catorce años, no en los que ellos quisiessen, sino en
5 aquellos a que los hijos se inclinassen. Después
que uno uviere eligido manera de bivir puédele su
amigo avisar cómo en ella se ha de governar; porque ya puede ser que acierte uno en el estado que
elige y después yerre en todo lo que en él haze.
10 Dexemos ya de hablar por circunloquios y decla-
remos del todo nuestros conceptos para ver lo que
sentimos y aun lo que al lector aconsejamos; porque a la caça no abasta que se levante, sino que se
alcance. Aconsejar a uno que dexe la corte y se
15 vaya a su casa, o que dexe su casa y se vaya a la
corte, el tal consejo ni le admite criança darle ni
cabe en cordura tomarle; porque va mucho de lo
que yo puedo a mi amigo aconsejar, a lo que a él
le conviene hazer. Lo que en este caso ossaríamos
20 dezir es, que el hombre eligiesse tal estado y mo-
rasse en tal lugar, a do más honestamente se pueda
sustentar y do más limpiamente pudiesse bivir y
a do más seguramente ossasse morir. Muchas vezes se muda un hombre de una tierra a otra, de
25 un barrio a otro, de una casa a otra y aun de
una compañía a otra; y al fin si de la una tenía
pena, de la otra muestra quexa; y la razón dello

8 "Ya puede ser que cuando no se catare y menos
pensare, al otro arme fortuna la zancadilla para caer y a él
le dé mano para subir." MENOSPRECIO, cap. XI. "Ya podría
ser que yendo todos por este camino, se nos fuese la caza
por este otro." Antonio de Villegas, *Historia del Abencerraje y la hermosa Jarifa.*
12 *Y aun* = y a la vez, y a la par.

es, porque él echava la culpa a la condición de la
tierra y estava todo el daño en su condición mala.
¿Qué más diremos sino que en la corte, en la
ciudad, en la aldea, en la venta, en el yermo y en
el mercado vemos al virtuoso estar corregido y ve- 5
mos al malo andar dissoluto? El vicio y el vicioso
son los que andan a buscar oportunidad para ser
malos; que la virtud y el virtuoso a do quiera
hallan lugar para ser buenos. No ay estado en la
iglesia de Dios tan absoluto en que uno no se 10
pueda salvar, ni ay estado tan recogido a do no
aya ocasiones para se perder; porque los officios,
estados y preeminencias son como la rosa del campo de la qual haze su miel el abeja y aun su ponçoña la araña. Para hombre bueno no ay officio 15
malo, ni para hombre malo ay officio bueno; porque tal ha de ser el hombre que presume de bien
que el officio se honre con él y no él con el officio.
El príncipe puédese salvar haziendo justizia y puédese condenar usando tiranía. El cavallero puéde- 20
se salvar peleando y puédese condenar robando.
El eclesiástico puédese salvar sirviendo su iglesia
y puédese condenar entrando por simonía. El religioso puédese salvar contemplando y puédese condenar murmurando. El casado puédese salvar 25
criando sus hijos y puédese condenar con ilícitos
adulterios. El rico puédese salvar haziendo limos-
nas y puédese condenar dando a usuras. El labrador puédese salvar arando y puédese condenar
pleyteando. El pastor puédese salvar guardando su 30
ganado y puédese condenar pasciendo el pan age-

31 *Pan* = mies. "Es como el segador, que abraça el
pan para lo cortar." Ossuna, *Abecedario espiritual*, tra-

no. Y porque no parezca que hablamos de gracia
provemos todo lo que hemos dicho con escritura
auténtica. En el estado de reyes el rey David fué
bueno y el rey Saúl fué malo. En el estado de sacer-
5 dotes Matatías fué bueno y Onías fué malo. En
el estado de profetas Daniel fué bueno y Balaam
fué malo. En el estado de pastores Abel fué bueno
y Abimelec fué malo. En el estado de casados Tobías fué bueno y Ananías fué malo. En el estado
10 de biudas Judit fué buena y Jezabel fué mala.
En el estado de ricos Job fué bueno y Nabab fué
malo. En el estado de consejeros Aquitofel fué
bueno y Cusi fué malo. En el estado de caçadores
Jacob fué bueno y Esaú fué malo. En el estado de
15 los apóstoles San Pedro fué bueno y Judas fué
malo. He aquí, pues, provado en como el ser bue-

---

tado II, cap. I de la b. "E porque á lo que eran idos los
nuesos, fuera a talar los panes." Cibdarreal, epíst. LXVII.
"En aquella primera edad y en aquel siglo dorado todos
vivian en paz, cada uno cultivava sus tierras, plantava sus
olivos, cogia sus frutos, vendimiava sus viñas, segaba sus
panes y criava sus hijos." Marco Aurelio, lib. I, cap. XXXI.

1   "Y porque no parezca que hablamos de gracia, con-
taremos aquí destas tres enamoradas la historia." Guevara, Letra para don Enrique Enríquez, 16 de mayo de 1531.
"Y porque no parezca que hablamos de gracia y que nuestra pluma escribe lo que se le antoja..." Letra a don Pedro Girón, 16 de abril de 1524.

16   En como. Usalo Guevara detrás de verbos de conc-
cimiento, como puede verse en los ejemplos siguientes: "He
querido dezir todo esto a V. S. para que veáis en cómo
mi corazón no se engañó..." Letra para don Fadrique Enríquez, I, 26. "El día que supiere en cómo rondáis la puerta de otra..." Letra para el gobernador Luis Bravo, I, 30.
"También, señor, os dije en cómo debíades poner delante
los ojos que..." Letra para el Obispo de Zamora, I, 44.
"He aquí, señor tío, en cómo yo no soy hombre que doy un
pésame..." Letra para don Diego de Guevara, I, 32. "Acá

nos o ser malos no depende del estado que eligi-
mos, sino de ser nosotros bien o mal disciplinados.
Si aconsejamos a uno que biva en el aldea, dize
que no se halla con rústicos. Si le aconsejamos que
salga de la corte, dize que tiene allí negocios. Si 5
le aconsejamos que sirva en palacio, dize que no
es nada entremetido. Si le aconsejamos que sea
eclesiástico, dize que no se amaña a rezar. Si le
aconsejamos que sea fraile, dize que no podrá ir
a maitines. Si le aconsejamos que siga la guerra, 10
dize que no es amigo de poner en peligro la vida.
Si le aconsejamos que se case, dize que no puede
ver llorar muchachos. Si le aconsejamos que guarde continencia, dize que es intolerable la soledad.
Si le aconsejamos que aprenda officio, dize que no 15
desciende él de tales parientes. Si le aconsejamos
que aprenda letras, dize que es flaco de cabeça. Si
le aconsejamos que se retraiga ya a su casa, dize
que no se hallará sin conversación. Presupuesto
que es verdad, como es verdad, todo esto, nadie 20
deve consejar a nadie en cosa que toca a honra
o al reposo de su vida; porque después más se que-
xará el tal de lo que entonces le aconsejavan que
no de lo que después padesce.

---

hemos sabido en cómo los del real de Toledo salieron..."
Letra para don Antonio de Zúñiga, I, 3.

8 *Amañarse a...* no es sinónimo de *avenirse a, hacerse
a;* tiene su matiz propio. Se aviene la voluntad; se hace
el que va tomando hábito o costumbre; se amaña el que
se da traza, porque tiene inclinación y aptitud para hacer
una cosa.

10 *Seguir la guerra* es seguir la carrera de las armas.

CAPITULO III

QUE NO CONVIENE AL CORTESANO DEXAR LA CORTE
PORQUE ESTÉ DESFAVORESCIDO, SINO POR PENSAR
QUE FUERA DE ALLÍ SERÁ MÁS VIRTUOSO.

Publio Mino el filósofo en sus anotaciones de- ⁵
zía: *"Deliberandum est diu quod faciendum est
semel."* Grave para leer y digna de saber y aun
necessaria de aprender es esta sentencia, por la
qual somos avisados que nos eonviene pensar primero en muchos días lo que, después emos de hazer ¹⁰
en uno. El rey Demetrio, hijo que fué del gran rey
Antígono, preguntado por su capitán Patroclo por
qué no dava la batalla a sus enemigo Tolomeo,
pues en ánimo era más esforçado y en exército
más poderoso que él, respondió: *"In quibus poeni-* ¹⁵
tentia non habet locum magno pondere attentan-
dum est." Quería, pues, estas palabras dezir: en
las cosas que después de hechas nadie se puede

5 Publio Mino es, sin duda, Publio el mimo o mimógrafo, siervo y discípulo de Laberio, porque filósofo Publio Mino no le hubo.
17 En la edición de Madrid, 1673, *quería pues por estas
palabras dezir.* Es lección más fácil, mas no siendo inin-
teligible la de la edición *princeps*, que es también la de
la segunda edición, en 1545, he preferido conservarla.

arrepentir, sobre muy grande acuerdo se han de
emprender. Agesilao, muy ilustre capitán que fué
de los licaonios, como le diessen priessa los embaxadores de los tebanos que les respondiesse a
5 una embaxada que le habían traído, respondió:
"*An nescitis quid ad utilia deliberandum mora est
tutissima?*" Como si dixera: ¿Agora tenéis por
saber, o tebanos, que para determinarse uno en lo
que le va la vida, no ay cosa más segura que la
10 tardança? Plutarco en la vida de Sertorio le loa
mucho, de que en los negocios graves era muy
grave hasta se determinar y que después era muy
constante en lo que se determinava. Suetonio en
el segundo libro *De Caesaribus* dize de Augusto el
15 emperador estas palabras: "*Amicitias neque facile
admisit et constantissime retinuit.*" Que quiere dezir: los amigos que Augusto tenía ni era apressu-
rado en tomarlos ni liviano en dexarlos. Destos tan
notables exemplos se puede coligir en quánto yerro
20 caen los hombres que son en sus hechos acelerados
y en sus consejos voluntariosos. No queremos vestir la ropa sin que esté enxuta, ni gustar la fruta

---

2 "Agesilao, capitán fué en Lacedemonia, en Grecia,
y no de Licaonia, que es en Asia Menor, junto a Capa-
docia." Rhua, carta III.

8 "A mi juicio, a mi apetito y a mi gusto, hasta hoy
tengo por oyr y aun por leer cosa tan graciosa como es
la letra de aquella sepultura." Guevara, *Epíst. fam.: Letra para el almirante don Fadrique*, I, 58. "Por muchos
reynos he andado y en las cortes de los príncipes me he
criado; mas hasta hoy por ver tengo alguna mujer que
no se casase por no tener ricos olores." *Letra para Micer
Peropollastre*, II, 73.

10 Plutarco, en la *Vida de Sertorio*, no dice tal.

sin que esté madura, ni comer la carne sin que esté
manida, ni bever el vino sin que sea añejo, ni edificar casa sino con madera seca; ¿por qué queremos emprender negocios con consejos verdes con
los quales antes nos ahumaremos que nos escalen- 5
taremos? Las cosas que tocan al punto de la honra
y al reposo de la vida mucho antes se han de tantear que no se vengan a determinar. El hombre
prudente y cuerdo, si piensa una hora en lo que
ha de dezir, ha de pensar diez en lo que ha de 10
hazer. Las palabras al fin son palabras, y puédese
uno que erró retractarse luego dellas; más de las
obras inconsideradas y borradas ni las pueden enmendar ni aun a las vezes remendar. Entre todas
las vanidades la mayor vanidad de todas es que 15
estudian los hombres en cómo han de disputar,
abogar, juzgar y hablar, y que ninguno se ocupa
en saber cómo ha de bivir; mayormente que el
bien morir depende del bien bivir. Los hombres
que presumen de gravedad y se conservan en auto- 20
ridad deven estar siempre muy avisados en que
no los noten de capitosos en lo que emprenden, ni

---

2 "Carne manida es la que no se come recién muerta,
sino que se guarda de hoy para mañana." Covarrubias,
Tesoro. Curada.

5 *Escalentar* era usual. "Tan gran servicio de Dios
será abrir el arca de la sabiduría de la ciencia espiritual
que... tan provechosa es para escalentar." *Carta del almirante don Fadrique a fray Francisco Ortiz, Bibl. Rivad.,*
tomo XIII. De la metáfora que usa Guevara se deduce
que al verbo *emprender* le toma en su significado material
de *prender, poner fuego.*

16 *En cómo,* véase pág. 42, 6.

22 "*Capitosos,* del latín *capito, cabezudo,* adj. ant.; ter-
co, caprichudo o tenaz. *Dicc. Autor.*

de mudables en lo que hazen; porque el mayor de-
fecto que en un hombre se puede hallar es tenerle
por mentiroso en lo que dize y por inconstante en
lo que emprende. El de rostro vergonzoso y cora-
5 çon generoso ha de mirar lo que comiença y de lo
que se encarga; y si fuere cosa justa y hazedera,
deve morir y atrás no tornar; porque en los negocios muy dificultosos, allí es do se hazen los hombres muy afamados. Si no fuera dificultoso y casi
10 imposible Aquiles matar a Héctor, Agesilao ven-
cer a Biante, Alexandro a Darío, César a Pompeyo, Augusto a Marco Antonio, Sila a Mitrídates, Escipión a Aníbal, Marco Furio a Pirro y el
buen Trajano a Decebalo, nunca aquellos tan ilus-
15 tres varones fueran como son en todo el mundo
nombrados. Viniendo, pues, al propósito es de notar, que el proverbio más usado entre los cortesanos es dezir a cada palabra: "A la verdad, señor
compadre, quiero ya esta maldita de corte dexar
20 e irme a mi casa a morar; porque la vida desta
corte no es bivir, sino un continuo morir." O a
quántos he oído yo esta palabra prometer y a quán
poquitos la he visto cumplir; porque el ançuelo de
la corte es de tal calidad que al que una vez pren-
25 de, dale cuerda, más no le suelta. Quando al cortesano le falta el dinero, le hazen algún enojo, no
salió con algún pleyto, o salió de la consulta en
blanco, a la hora son con él muy virtuosos desseos

---

10 "Quien leyere a Plutarco en la *Vida de Agesilao*,
hallará que nunca Agesilao peleó con Bianto, pues Pirro
nunca peleó con Marco Furio, sino con Albino, y con Fa-
bricio, y con Curio, según parescerá por Plutarco." Rhua,
carta III.
28 "Según vuestra merced es recatado en lo que dice

y hace profesión de mil propósitos sanctos; de manera que aquel arrepentimiento no le viene de los males que ha hecho, sino de los negocios que no le han bien sucedido. Nunca permanescerá mucho en la bondad el que viene a ser bueno, no por amor de la verdad, sino constreñido de necessidad; porque no se puede llamar virtud lo que no se haze de voluntad.

Puédese esto conoscer en que, si la fortuna buelve su rueda de manera que al tal cortesano acrescienten en hazienda, adelanten en honra o le digan alguna halagüeña palabra, luego los sanctos desseos se le resfrían y los recogidos propósitos se le olvidan. En el coraçón del cortesano que es verdadero cristiano y no mundano muy gran competencia traen entre sí el favor del medrar y el fervor de se salvar; porque en las cortes de los príncipes es a do los hombres pueden valer y aun a do se suelen perder. Lo que passa en este caso es, que quando cresce el favor luego afloxa el hervor y nunca cresce el hervor sino quando afloxa el favor; por manera, que la adversidad los torna cristianos y la prosperidad cortesanos. Ya emos dicho que los que más se van de la corte es porque están pobres, o se ven desprivados, o se sienten affren-

---

y es tan sospechoso de lo que le dicen, soy cierto y no dudo que si yo le preguntara lo que me pregunta, a la hora dijera que me sobraba el tiempo o que me falta el juicio." Guevara, *Letra para el doctor Sumier, regente de Nápoles,* II, 31. "A la hora que os vi acompañado con el Obispo de Zamora, imaginé que toda vuestra negociación iba perdida." *Letra a don Pedro Girón,* I, 56.

8 *De voluntad,* véase pág. 36, 12.
18 *Y aun =* y a la vez, y también véase pág. 33, 20.
25 *Veen,* véase pág. 51, 13.

tados, o se hallan viejos, o que los embían desterrados, de manera que si uno se va por voluntad,
ciento se absentan de necesidad. Es tan desseada
la salud, es tan apetitosa la honra, es tan sabro-
5 sa la hazienda y es tan halagüeña la privança que
vemos a infinitos procurarla y a muy poquitos menospreciarla. O quán heroico coraçón tiene el que
la corte dexa y de la antigua conversación se apar-
ta y a sí mismo olvida y la privança que tenía me-
10 nosprecia. A la verdad, el verdadero menosprecio
del mundo y dar la mano a la corte es, quando el
cortesano está en hazienda rico, en fuerça robusto,
en el cuerpo sano, en la edad moço y en el valer
privado; porque entonces loarle han todos que dexó
15 la corte de cuerdo y no que se fué della corrido.
Todo esto dezimos para avisar al que se sale de la
corte y se quiere ir a su casa no se vaya della
enojado o apassionado; porque podría ser que después que se le uviese quitado el enojo y tornado
20 en sí no ossasse tornar a la corte de vergüença ni
pudiesse goçar del reposo de su casa. Los hombres
superbos y mal sufridos muchas cosas hazen en
solo un día, las quales tienen después que llorar
toda su vida. Al hombre colérico y mal suffrido
25 no le conviene ser cortesano; porque si todas las
affrentas y disfavores y sinsabores que a uno hazen en la corte se para a las pensar y piensa de
las vengar, téngase por dicho que en solas las que
rescibió en un mes terná que vengar en diez años.
30 El que dexare la corte, de tal manera la ha de dexar, que sea para jamás a ella bolver; porque si

---

20 Véase pág. 36, 22.
22 *Superbos*, latinismo = orgullosos.

a ella torna y de estar en su casa se cansa, como a
hombre oleado le emos de tener ya por perdido.
El que pecó y se enmendó y tornó a pecar, más
peca que antes pecava; por semejante manera el
que fué a la corte y dexó la corte y se tornó a la 5
corte, digo que no es el mejor de la corte; porque
el tal no tornó con intención de enmendar la vida,
sino de mejorar su hazienda y su persona. Tor-
nando, pues, a nuestro propósito, es de saber que
si a un hombre anciano preguntássemos el discur- 10
so de su vida y él nos dixesse todo lo que ha em-
prendido, hablado, acometido, pensado, buscado,
hallado, perdido, acertado y errado, todos le di-
ríamos que no avía sido su vida sino una muy
disimulada locura. Perdone el lector que esto le- 15
yere al auctor que lo dize y a la pluma que lo
escrive, es a saber, que no ay hombre tan prudente en esta vida que no tenga un resabio de locura; y si llaman a uno sabio y a otro loco, no es
porque él no es también loco como el otro, sino 20
porque el otro sabe mejor encubrir su locura que
no él. Si algunos ay que aciertan en lo que hazen,
no son otros sino los que retraen sus cuerpos de
muchos vicios y refrenan sus coraçones de vanos
desseos; porque nuestro cuerpo esnos en la com- 25
pañía más que vezino, y en los apetitos más que
enemigo. Más trabajoso es de refrenar el coraçón,
que no de governar el cuerpo; porque el cuerpo

---

21 Así construída la frase, resulta falso el pensamien-
to. Parece que debiera decir: "sino porque él sabe mejor
encubrir su locura que no el otro".
27 El orden directo de la oración es: "el coraçón es
más trabajoso de refrenar que no el cuerpo de governar."

cánsase de pecar, mas el coraçón nunca de dessear.
Al cuerpo luego le conoscemos la condición y aun
la complisión; mas al traidor del coraçón nunca
le acabamos de entender, y mucho menos de con-
5 tentar; porque a cada passo nos fatiga que le de-
mos una cosa y dende a dos días está ya enhastiado
della. O quán difficultoso es de conoscer el coraçón del hombre; lo qual paresce muy claro, porque muchas vezes nos haze entender que la hipo-
10 crisía es devoción, la ambición que es grandeza, la
escaseza que es grangería, la crueldad que es celo,
la desemboltura que es eloqüencia, la estrañeza
que es vanidad, la locura que es gravedad y la
disolución que es diligencia. No pocas sino muchas
15 vezes suele un hombre dezir a otro: Andad, que
bien os conozco yo a voz no sólo lo que hazéis,
mas aun sé lo que pensáis: como sea verdad que
él mismo no conosce a sí mismo y presume de conoscer al otro. De todo esto se puede coligir que
20 cada uno trabaje de conoscer a sí mismo; y si

---

3 Al lado de formas originales se usaban otras asi-
miladas: "complisión", "hipocrisía", "quistión", cap. XIII;
"labirinto", cap. XII; "eligir", cap. XII, lisión. "Todas estas penas y descontentamientos se sienten en el alma, sin
que haya lisión en el cuerpo." Villalobos, *Declaración del
Anfitrión,* cap. III.

6 *Dende,* etim. de *de inde.* "Mañana y dende adelante se entenderá con gran diligencia en..." G. de Ayora,
carta V. "E dénde á poco..." Cibdarreal, epíst. XXXIII.
"Dos caballeros naturales dende..." Ibid.

11 *Escaseza,* forma vacilante, como *madureza,* Beato
Avila, epíst. III; *polideza,* Guevara, *Letra para el comendador Luis Bravo.* "Pero si a la tal hermosura se le junta
la necesidad y estrecheza." *Quij.,* II, 22.

20 *Trabajar de,* usual. "No hay ninguno tan malo que
no trabaje de acertar en su gobierno." Guevara, *Letra para
el embajador Jerónimo Vique,* I, 18.

viere que su condición es ambiciosa, bulliciosa, co-
diciosa e inquieta, estése en la corte y muera en la
corte, porque el tal día que se fuere a retraer a
su casa, le puede el cura señalar la sepultura. E
si el tal cortesano fuere virtuoso, manso, honesto 5
y quieto, dé la corte a Dios y váyase a retraer
a su casa y allí verá y conoscerá que nunca supo
qué cosa era el bivir, sino después que se vino a
retraer.

CAPITULO IV

DE LA VIDA QUE HA DE HAZER EL CORTESANO EN SU CASA DESPUÉS QUE UVIERE DEXADO LA CORTE

Mirónides, docto filósofo e ilustre capitán que fué de los beocios, solía muchas vezes dezir que no 5 se conoscía la prudencia del hombre en saberse apartar de lo malo, sino en saber elegir lo bueno; porque debaxo del mal ningún bien se puede absconder, mas debaxo del bien puédese mucho mal dissimular. Assí como la hechizera comiença con 10 *per signum crucis*, y acaba en Satanás y Barrabás, por semejante manera los muy grandes males siempre tienen principio en algunos fingidos bienes; de manera que vienen enmascarados como el momo, cebados como ançuelo, azucarados como ruibarbo 15

---

4 Mirónides no fué capitán de los beocios, sino de los atenienses, al frente de los cuales hizo la guerra a los beocios, según consta por los *Apotegmas*, de Plutarco. El mismo Guevara, en *Aviso de privados*, cap. XVII, dice: "Mirónides el griego, ni porque venció al Rey de Beocia dexó él de ser vencido de los amores de su amiga Numida."

8 *Absconder*, véase pág. 1, 12.

14 "Mimo es un género de comedia planipedia que, por la imitación y representaciones que hace de los dichos y hechos y costumbres de los hombres, se llama mimo, y el mesmo poeta se llamaba mimo y mimógrafo. En castellano se dice *momo*." P. de Rhua, carta III.

y dorados como píldoras. No ay hombre en el mundo tan insensato, que no se sepa guardar de lo que notoriamente es malo; y por esso el varón cuerdo de ninguna cosa deve bivir tan recatado,
5 como de aquello que él piensa no ser del todo bueno. Como al magno Alexandro le curassen de unas heridas que avía rescebido en una batalla y Parmenio su gran privado le riñesse porque se metía tanto en los peligros, respondióle él: Assegú-
10 rame tú, Parmenio, de los amigos fingidos, que yo me guardaré bien de los enemigos manifiestos. Alexandro, Alcibiades, Agesilao, Demetrio, Pirro, Pompeyo, Antígono, Léntulo y Julio César nunca les pudieron acabar sus enemigos y al fin murie-
15 ron a manos de sus amigos. Viniendo, pues, al propósito, dezimos que el hombre que quiere dexar la vida de la corte, deve mucho mirar, no sólo lo que dexa, mas aun lo que toma; porque yo no tengo por tan difficultoso el dexarla, como es ha-
20 llarse el cortesano fuera della. ¿Qué aprovecha salirse uno de la corte aborrido y cansado si no lleva el coraçón assossegado? Aunque nuestro cuerpo es pesado y regalado, si le dexan descansar, a do quiera se halla; mas el traidor del coraçón es el que
25 nunca se contenta; porque, si fuesse posible, querría el coraçón quedarse en la corte privando y estarse en el aldea holgando. Si las affecciones y passiones que cobró el cortesano en la corte lleva

18 *Más aún* = sino también; véase pág. 6, 5.
22 *Assossegado*. En el lenguaje vulgar de algunas regiones (montaña de Burgos) se usa con predilección a sosegado; véase pág. 17, 9.
27-28 *Afecciones y passiones* = amores y odios, véase página 108, 7.—*Cobrar* = adquirir; comunísimo.

consigo a su casa, más le valiera nunca retraerse
a ella; porque en la soledad son los vicios más poderosos y los hombres muy más flacos. En las cortes de los príncipes muchas vezes acontesce que
los varios negocios y aun los pocos dineros son 5
causa para abstenerse un hombre de los vicios; el
qual, después que se va a su casa, haze cosas tan
feas que son dignas de murmurar y mucho más de
castigar. Muchos ay que se van de la corte por
estar más ociosos y ser más viciosos; y de los tales 10
no diremos que como buenos se van a retraer, sino
a buscar más tiempo para pecar. Ora por no ser
acussados, ora por no ser infamados, muchos se
abstienen en la corte de ser viciosos, los quales,
después que de allí salen y se van a su casa, ni 15
para con Dios tienen consciencia ni aun de la gente han vergüenza. Ante todas cosas combiene al
que sale de la corte dexar en ella las parcialidades que siguió y las passiones que cobró; porque
de otra manera sospirará por la corte que dexó 20
y llorará por la vida que tomó. No se niega que
en la corte no aya ocasión para uno se perder,
y que en su casa ay más aparejo para se salvar;
mas al fin poco aprovecha al cortesano que mude

---

17 "Mi parescer es que ante todas cosas aquel Redentor se consulte que vuestras cosas conseja." Fernando del
Pulgar, letra VII, *Bibl. Rivad.*, tomo XIII. "Vos, señor, no
habéis necesario de mí ninguna déstas, ni aun se hallan
en todos hombres." Idem, letra II. "Nuestro Señor también usa de justicia como de piedad, pero de la justicia algunas veces y de la piedad todas veces, y no solamente todas veces, mas todos los momentos de la vida." Idem,
letra XVI.

23 *Aparejo* = disposición; *aparejar* = disponer; muy
comunes.

la región, si no muda la condición. Quando dize el
cortesano: quiérome ir a mi tierra a retraer, y
quiérome ir a mi casa a morir, bien le perdonare-
mos aquella promesa; porque abasta al presente
5 que se retraiga a bien bivir sin que se determine
morir. Esta nuestra vida mortal ninguno tiene licencia de aborrescerla, mas tiene obligación de en-
mendarla. Quando el sancto Job dezía: *"Taedet
animam meam vitae meae"*, no le pesava porque
10 bivía, sino porque no se enmendava. El que dexa
la corte y se va a su casa, con más razón puede
dezir que se va a bivir que no que se va a morir;
porque en escapar de la corte ha de pensar que
escapa de una prisión generosa, de una vida des-
15 ordenada, de una enfermedad peligrosa, de una
conversación sospechosa, de una muerte prolixa,
de una sepultura labrada y de una república confusa. El hombre cuerdo y que sabe el reposo, lo
que está en la corte dirá que muere y lo que re-
20 posa en su casa dirá que bive; porque no ay en el
mundo otra igual vida, sino levantarse hombre con
libertad, e ir do quiere y hazer lo que deve. Mu-

---

6   Véase pág. 40, 8.
13   *En escapar*, véase pág. 12, 15.
18   *Saber* = gustar, tomar sabor; etim. de *sapere*.
18   *Lo que* = el tiempo que, muy usado todavía.
21   *Hombre* = uno, indeterminado. "No ay en el mundo
igual trabajo como estar hombre de sí mismo descontento-
to." Guevara, *Letra para el doctor Coronel*, I, 51. "No es
menos sino que ay algunos hermanos, primos... tan desco-
medidos en el pedir, que hazen a hombre enojarse y aun
amohinarse." *Letra para don Pedro de Acuña, conde de
Buendía*, I, 22. "Entiendo yo, señor, que más descansa
hombre contando sus males propios que oyendo consola-
ciones ajenas." Fernández del Pulgar, letra XVII.

chos son los cortesanos que hazen en la corte lo
que deven y muy poquitos hazen lo que quieren;
porque para sus negocios y aun passatiempos tienen voluntad, mas no libertad. Al que se va de la
corte combiénele que mucho tiempo antes comien- 5
ce a recoger los pensamientos y aun a alçar la
mano de los negocios; porque para llegar a su tierra ha menester muchos días, mas para desarrai-
gar de sí los malos desseos ha menester muchos
años. Como los vicios se apegan al hombre poco a 10
poco, assí los deve de ir desechando de sí poco a
poco; porque si espera a echarlos todos juntos,
jamás echará de sí ninguno. Deve, pues, el cortesano mirar quáles son los vicios que tienen su coraçón más ocupado y su cuerpo más enseñoreado, 15
y de aquellos deve primero començar a se sacudir
y expedir, es a saber, hoy uno y mañana otro y
otro día otro; de manera que de do saliere un vicio, le suceda una virtud.

No se entiende tampoco esto a que como suce- 20
den los días, assí por orden se ayan de ir expe-
diendo los vicios; porque no hará poco el que cada
mes echare de sí un vicio. El mayor engaño que
padescen los cortesanos es en que aviendo sido en
la corte treynta años malos, piensan que, idos a 25
sus casas, serán en dos años buenos. Muchos días
ha menester un hombre para aprender a ser virtuoso y muchos más días para dexar de ser vicioso; porque los vicios son de tal calidad, que se entran por nuestras puertas riendo y al despedirse 30
nos dexan llorando. O quánto mayor es el dolor

---

24 *Ser en* = estar en. "No es bien que el hombre esté
solo." Quevedo, *Política de Dios*, I, 2.

que los vicios dexan quando se van, que no el
plazer que nos dan quando se gozan; porque si el
vicio da pena al vicioso quando cada día no le fre-
qüenta, ¿qué hará quando de su casa se despida?
5 Al cortesano que es ambicioso, pena se le hará el
no mandar; al que es condicioso, pena se le hará
el no ganar, y al que es bullicioso, pena le será el
no trampear; y por esso dezimos y afirmamos que
si para dexar la corte es menester buen ánimo,
para saber gozar del reposo es menester buen seso.
A los que fingidamente dexan la corte, más pena
les dará el verse de ella absentes, que tenían plazer
estando en ella presentes; los quales, si mi consejo
quisiessen tomar, no sólo trabajarían de dexarla,
15 mas aun de olvidarla; porque la corte es muy apacible para contar della nuevas y muy peligrosa
para provar sus mañas. De tal manera combiene
al cortesano salirse de la corte, que no dexe pasto
para tornarse a ella; porque de otra manera la
20 soledad de su casa le hará tornar a buscar la libertad de la corte. Al coraçón del hombre ya retraído y virtuoso, todas las vezes que vacan obis-
pados, encomiendas, tenencias y otros officios le
tocan al arma los pensamientos vanos y livianos,
25 diziendo que si no se uviera retraído, le uvieran ya
mejorado; y por esso dizimos que se guarde el tal
de tomar la corte en la lengua, ni aun de traerla

---

12 *De ella.* Una de las pocas veces que en Guevara no
se funde el pronombre con la proclítica *de.*

24 *Tocar al arma* es provocar a guerra, alborotar.
"Como los de su campo súpitamente diesen grandes voces diciendo: "Al arma, al arma, que hemos caído en manos de nuestros enemigos." Guevara, *Letra para don Antonio de Zúñiga,* I, 3.

a la memoria. Deve también pensar el buen cortesano que otras vezes uvo vacantes y no fué él proveído; y que ya pudiera ser que tampoco le cupiera
agora ninguna cosa, y que le es menos affrenta
esperar de lexos la grita; porque en la corte a 5
las vezes se siente más lo que os dizen de no averos
proveído que lo que os quitan en tal provisión.

Son las cosas de la corte tan enconadas y aun
tan ocasionadas, que no ha de pensar el cortesano
que las menosprescia de voluntad sino de neces- 10
sidad; porque todo hombre maligno que tiene tesón de perseverar en la corte, o en breve acabará
o al cabo se perderá. Después que el cortesano se
viniere a reposar a su casa, dévese mucho guardar
de no tomar enojo en ella; porque de otra manera, 15
si en palacio estava aborrido, en el aldea bivirá
desesperado. La soledad de la conversación, la importunidad de la muger, las travesuras de los hijos, los descuydos de los criados y aun las murmu-
raciones de los vezinos, no es menos sino que al- 20
gunas vezes le han de alterar y amohinar; mas
en pensar que escapó de la Corte y de su tan pe-

2 Véase pág. 40, 8.
5 "Grita = confusión de voces altas y desentonadas."
Dicc. Autor. "La gente que salió del cerco de Salsas salió tan destrozada y perdida, que los labradores, por los
caminos, les daban grita diciéndoles ribaldos y cobardes."
G. de Ayora, carta XII.
10 De, con valor causal; véase 36, 12.
20 No es menos sino que = no hay duda sino que.
21 Amohinar = entristecerse, ponerse mohino. "No es
tampoco coyuntura visitar al tiempo que están jugando,
porque si pierden están enojados, y si ganan y después
comiençan a perder, dirán que el que los fué a visitar los
fué a amohinar." Guevara, Aviso de privados, cap. VI.

ligroso golfo, lo ha de dar todo por bien empleado.
No ha de pensar nadie que por venirse a morar
a la aldea y a retraer a su casa, que por esso las
necessidades no le han de buscar y los enojos no
5 le han de hallar; que a las vezes el que nunca tro-
peçó caminando por los puertos ásperos, cayó y
se derrostró en los prados floridos. Al que va a
buscar reposo, combiénele estar en buenos exercicios ocupado; porque si dexa al cuerpo holgar
10 y al coraçón en lo que quiere pensar, ellos dos
le cansarán y aun le acabarán. No hay en esta
vida cosa que sea tan enemiga de la virtud, como
es la ociosidad; porque de los ociosos momentos
y superfluos pensamientos tienen principio los
15 hombres perdidos. Al cortesano que no se ocupa en su casa sino en comer, bever, jugar y holgar muy gran compasión le emos de tener; porque si en la corte andava rodeado de enemigos,
andarse ha en el aldea cargado de vicios. El hom-
20 bre ocioso siempre anda malo, floxo, tibio, triste,
enfermo, pensativo, sospechoso y desganado; y de
aquí viene que de darse el coraçón mucho a pensar, viene después a desesperar. El hombre ocupado y laborioso siempre anda sano, gordo, re-
25 gocijado, colorado, alegre y contento; de manera
que el honesto exercicio es causa de buena comple-
xión y de sana condición. Deve también el que se
va a retraer a su casa procurar de conoscer hombres sabios con quien conversar; porque muy gran

3 *Que...* Una de las formas de *que* superfluo censu-
rada por Valdés, *Diál. de las lenguas.* V. pág. 5, 1.

6 *Puertos* = pasos de montaña para trasponer de la
una falda de ella a la otra.

parte es para ser uno bueno, acompañarse con
hombres buenos. Dévese también mucho apartar
de los hombres viciosos, holgazanes, mentirosos y
maliciosos, de los quales suelen estar los pueblos
pequeños muy llenos; porque si las cortes de los 5
príncipes están llenas de embidias, también en las
aldeas ay muchas malicias. No sería mal consejo
que el hombre retraído procurasse leer en algunos
libros buenos, así historiales como doctrinales;
porque el bien de los libros es que se haze en ellos 10
el hombre sabio y se ocupa con ellos muy bien el
tiempo. Combiénele también hazer su condición a
la condición de aquellos con quien ha de bivir, es
a saber, que sea en la conversación manso, en la
criança muy comedido, en las palabras muy co- 15
rregido y en el tratamiento no presumptuoso; porque se ha de tener por dicho que no sale de la
corte por mandar sino por descansar. Si le quisieren hazer alcalde o mayordomo de alguna república, guárdese dello como de pestilencia; por- 20
que no ay en el mundo hombres tan desassossega-
dos como los que se meten en negocios de pueblos.
Al hombre bullicioso y orgulloso mejor le es andarse en la corte que no retraerse a la aldea; porque los negocios de la aldea son enojosos y costo- 25
sos, y los de la corte son honrosos y provechosos.
Sin encargarse de pleytos, ni tomar officios puede

1 *Ser parte.* "¡Quién pudiera exagerar agora el gozo
de los cristianos... y las plegarias y ruegos que los tur-
cos poco antes libres hacían a sus mesmos esclavos, ro-
gándoles fuesen parte para que de los indignados cristianos maltratados no fuesen...!" Cervantes, *Galatea*, lib. V.
  8 *Leer en* era usual.
  19 *República* = asociación, sociedad pequeña o grande.

el buen cortesano ayudar a los de concejo y favorescer a los de su barrio, es a saber, dándoles buenos consejos y socorriéndolos con algunos dineros. Si viere a sus vezinos reñir, póngalos en
5 paz; si los viere llorar, consuélelos; si los viere maltratar, deffiéndalos; si los viere en necessidad, socórralos; y si los viere en pleytos, atájeselos; porque desta manera bivirá él assossegado y será de todo el concejo bien quisto. Combiénele también
10 que no sea en su casa orgulloso, pessado, enojoso, e importuno; porque de otra manera la muger le aborrescerá, los vezinos le dexarán, los hijos le desobedescerán y aun los criados le desservirán. Es, pues, saludable consejo que honre a su muger,
15 regale a sus hijas, sobrelleve a sus hijos, espere a sus renteros, se comunique con sus vezinos y perdone a sus criados; porque en la casa del hombre cuerdo más cosas se han de dissimular que castigar. No le combiene tampoco fuera de la corte
20 hazer combites costosos, aparejar manjares delicados, embiar por vinos presciosos ni traer a su casa locos ni chocarreros; porque el fin de retirarse de la corte ha de ser no para más se regalar, sino para más honestamente bivir. El cortesano
5 que se retrae a su casa deve ser en el comer sobrio, en el bever moderado, en el vestir honesto, en los passatiempos cauto y en la conversación virtuoso; porque de otra manera haría de la aldea corte aviendo de hazer de la corte aldea. Aquel haze de

---

13 *Deservir* = servir mal. "Si queréis vengaros de los que os desirvieron, sed grato a los que os siguieron y sirvieron." Guevara, *Letra para don Pedro de Acuña, conde de Buendía*, I, 25.

la aldea corte, que bive en el aldea como bivía en
la corte, y aquel haze de la corte aldea que bive
en la corte como biven en la aldea. Esle también
necessario que, puesto en su casa, visite los hos-
pitales, socorra a los pobres, favorezca a los huér- 5
fanos y reparta con los mezquinos; porque desta
manera redimirá los males que cometió y aun los
bienes que robó. También es officio del buen cortesano concordar a los descasados, reconciliar a los
enemigos, visitar a los enfermos y rogar por los 10
desterrados; por manera que no se le passe día
sin hazer alguna notable obra. Deve también mirar si tiene algo robado, cohechado, emprestado,
hurtado o mal ganado; y si hallare algo no ser
suyo, tórnelo luego a su dueño; porque es impo- 15
sible que tenga la vida quieta el que tenga la conciencia cargada. Combiene también al cortesano
retraído freqüentar los monesterios, ver muchas
missas, oir los sermones y aun no dexar las vísperas; porque los exercicios virtuosos, aunque a 20
los principios cansan, andando el tiempo deleytan.
Seríale también saludable consejo que en su vida
repartiesse su hazienda y descargasse su consciencia, es a saber, socorriendo a sus deudos, pagando
a sus yernos, descargando con sus criados y reme- 25
diando a sus hijos; porque después de él muerto,

---

13 *Cohechado* = recibido por cohecho o soborno.
13 *Emprestar* = prestar. "Un poco de anchura de vida
que le ha emprestado Dios." Fray Francisco Ortiz, epístola IV. "La vida que Dios a vuestra señoría ha emprestado." Idem, epíst. V.
26 Aunque no tan comunes, también hay ejemplos en
que la proclítica no se funde con el pronombre.

todos serán a hurtar la hazienda y ninguno a descargar el ánima. El que repartiere su hazienda en la vida, dessearle han todos que biva; y donde no, con esperança de le heredar, todos le dessearán

5 ver morir. Finalmente dezimos y aconsejamos que el cortesano que se va a su casa a retraer, no se ha de ocupar sino en aparejarse para morir. Todas las sobredichas cosas no diga nadie que si son fáciles de leer, son difíciles de cumplir; porque si

10 nos queremos esforçar, muy para más somos que nosotros de nosotros mismos pensamos.

---

3 *Donde no* = si no, de otra suerte. "Sea, pues, la conclusión deste consejo que cada cual case a sus hijos con su igual, y donde no, antes del año cumplido, le lloverá sobre la cabeza al que buscó casamiento de locura." Guevara, *Letra para mosén Puche Valenciano*, I, 51.

CAPITULO V

QUE LA VIDA DE LA ALDEA ES MÁS QUIETA Y MÁS PRIVILEGIADA QUE LA VIDA DE LA CORTE

Es privilegio de aldea que en ella no biva ni pueda bivir, ni se llame ni se pueda llamar ningún hombre aposentador de rey ni de señor, sino que libremente more cada uno en la casa que heredó de sus passados o compró por sus dineros, y esto sin que ningún alguacil le divida la casa ni aun le parta la ropa. No gozan deste previlegio los que andan en las cortes y viven en grandes pueblos; porque allí les toman las cosas, parten los aposentos, dividen la ropa, escogen los huéspedes, hazen atajos, hurtan la leña, talan la huerta, quie-

---

13 *"Huésped* = el mesonero o el que tiene casa de posadas y recibe en ella huéspedes." *Dicc. de Autorid.* "Yo quiero creer, hermana camera, que vuestro marido tiene carta de hidalguía, con que vos me confeséis que es hidalgo mesonero.—Y con mucha honra, respondió la huéspeda." Cervantes, *Coloquio de los perros.* "Las once serían de la noche cuando, de improviso y sin pensarlo, vieron entrar en la posada muchas varas de la justicia y al cabo el Corregidor. Alborotóse el huésped, y aun los huéspedes." Cervantes, *La ilustre fregona.*

14 *Atajos.* Sobre este paso de Guevara dice el *Dicc. de Autorid.:* "atajo vale también montón que se va haciendo de alguna cosa, como *atajo de leña.*"

bran las puertas, derruecan los pesebres, levantan
los suelos, ensucian el pozo, quiebran las pilas,
pierden las llaves, pintan las paredes y aun les
sosacan las hijas. O quán bienaventurado es aquel
5 a quien cupo en suerte de tener qué comer en el
aldea; porque el tal no andará por tierras extrañas, no mudará posadas todos los días, no conoscerá condiciones nuevas, no sacará cédula para
que le aposenten, no trabajará que le pongan en
10 la nómina, no terná que servir aposentadores, no
buscará posada cabe palacio, no reñirá sobre el
partir la casa, no dará prendas para que le fíen
ropa, no alquilará camas para los criados, no ado-
bará pesebres para las bestias, ni dará estrenas a

---

4 *Sosacan* = seducen; es sacar con artes y engaños,
engañar para lograr algo. "No habría quien me prendiese
al maestro Guevara para colgarle de una almena porque
engañó y sonsacó a don Pedro Girón de nuestra junta?"
Guevara, *Letra para el obispo de Zamora don Antonio de
Acuña*, I, 44.
11 *Servir aposentadores*. La preposición *a* antepuesta
al acusativo significa personalidad y determinación. Debe,
pues, omitirse con los apelativos de persona que no son
precedidos de artículo alguno, precisamente en gracia de
su indeterminación. Bello, *Gramática*, núms. 889 y 994.
12 *Prendas* = fianza; del latín *pignora;* véase la página 34, 18.
13 *"Adobar* = reparar alguna cosa que está mal para-
da." Covarrubias, *Tesoro*. "Si por culpa del herrero de
Badajoz holgare alguna huebra por no le aver adobado la
reja con tiempo..." Guevara, *Letra para el obispo de Badajoz*, I, 20.
14 *Estrenas* = aguinaldos. "Le mandó a pedir las buenas estrenas, e que sean fazer librar a Monje lo deven-
gado de mi soldada de ocho meses." Cibdarreal, epísto-
la XXXIV. "Aunque deves lo querer | por el gran loor
que cobras | que en tal noche tales obras | se deven de
prometer; | y por cuanto he padecido | en tu cárcel y ca-

sus huéspedas. No sabe lo que tiene el que casa
de suyo tiene; porque mudar cada año regiones y
cada día condiciones es un trabajo intolerable y
un tributo insuffrible.

Es previlegio de aldea que el hidalgo o hom- 5
bre rico que en ella biviere sea el mejor de los
buenos o uno de los mejores; lo qual no puede
ser en la corte o en los grandes pueblos; porque
allí ay otros muchos que le exceden en tener más
riquezas, en andar más acompañados, en sacar 10
mejores libreas, en presciarse de mejor sangre,
en tener más parentela, en poder más en la república, en darse más a negocios y aún en ser muy
más valerosos. Julio César dezía que más quería
ser en una aldea el primero, que en Roma el se- 15
gundo. Ossaríamos dezir y aun afirmar que para
los hombres que tienen los pensamientos altos y
la fortuna baxa, les sería más honra y provecho
bivir en aldea honrados que no en la ciudad abatidos. La diferencia que va de morar en lugar pe- 20
queño o grande es que en el aldea verás a muchos
pobres a quien tengas mancilla y en la ciudad o
corte verás a muchos ricos a quien tengas embidia.

---

denas | otórgame por estrenas | galardón de lo servido."
Alvarez Gato, *N. B. de Aut. Esp.*

11 *Libreas* = "el vestuario uniforme de los guardias, pa-
ges y criados de escalera abaxo, el qual deve ser de los colo-
res de las armas de quien le da." Covarrubias, *Tesoro.*

22 *Quien*, en tiempo de Guevara, hacía a singular y a
plural, a personas y a cosas. De *quienes* se halla algún
caso en el propio Guevara, pero muy raro.

22 *Mancilla* = lástima. "Alábanse muchos maridos de
ser servidos y tenidos en sus casas, a los cuales yo tengo
más mancilla que envidia." Guevara, *Letra para Mosén
Puche Valenciano*, I, 49. Aun lo usa el lenguaje vulgar
en el mismo sentido.

Es previlegio de aldea que cada uno goze en ella
de sus tierras, de sus casas y de sus haziendas;
porque allí no tiene gastos extravagantes, no les
piden celos sus mugeres, no tienen ellos tantas sos-
5 pechas dellas, no los alteran las alcahuetas, no
los visitan las enamoradas, sino que crían sus hijas, doctrinan sus hijos, hónranse con sus deudos
y son allí padres de todos. No tiene poca bienaven-
turança el que bive contento en el aldea; porque
10 bive más quieto y menos importunado, bive en provecho suyo y no en daño de otro, bive como es
obligado y no como es inclinado, bive conforme a
razón y no según opinión, bive con lo que gana y
no con lo que roba, bive como quien teme morir
15 y no como quien espera siempre bivir. En el aldea
no ay ventanas que sojuzguen tu casa, no ay gente
que te dé codaços, no ay cavallos que te atropellen,
no ay pajes que te griten, no ay hachas que te
enceren, no ay justizias que te atemoricen, no ay
20 señores que te precedan, no ay ruydos que te espanten, no ay alguaciles que te desarmen, y lo que
es mejor de todo, que no ay truhanes que te cohechen ni aun damas que te pelen.

---

16 *Sojuzgar* = dominar. Quiere decir: "en el aldea no
hay ventanas que dominen tu casa y desde las cuales te
atisben y vean."
22 *Cohechen* = que te saquen dinero como cohecho o
soborno; véase pág. 55, 13.
23 "*Pelar* = comerle a uno su hazienda, como hacen
las rameras que pelan a los mancebos." Covarrubias. "El
officio de la dama es pelar al que la sirve." Guevara,
Despertador de cortesanos, cap. IX. Dama equivale a mujer pública. "A tiro de arcabuz mostraban ser damas de
vida libre." Cervantes, *Coloquio de los perros.*

Es previlegio de aldea que para todas estas cosas aya en ella tiempo quando el tiempo es bien
repartido; y paresce esto ser verdad en que ay
tiempo para leer en un libro, para rezar en unas
horas, para oyr missa en la iglesia, para ir a vi- 5
sitar los enfermos, para irse a caza a los campos,
para holgarse con los amigos, para passearse por
las eras, para ir a ver el ganado, para comer si
quisieren temprano, para jugar un rato al triunfo, para dormir la siesta y aun para jugar a la 10
ballesta. No gozan deste previlegio los que en las
cortes andan y en los grandes pueblos biven; porque allí lo más del tiempo se les passa en visitar,
en pleytear, en negociar, en trampear y aun a las
vezes en sospirar. Como dixessen al emperador 15
Augusto que un romano muy entremetido era
muerto, dizen que dixo: "según le faltava tiempo
a Bíbulo para negociar, no sé cómo tuvo espacio
para se morir".

Es previlegio de aldea que el que tuviere algu- 20
nas viñas, goze muy a su contento dellas; lo qual
paresce ser verdad en que toman muy gran re-
creación en verlas plantar, verlas binar, verlas cu-

---

5 "*Horas* = librito u devocionario en que está el oficio de Nuestra Señora y otras devociones que rezan los
seglares que no tienen obligación de rezar el oficio mayor."
Dicc. Autorid. "Entonces uno de ellos sacó unas horas que
tenía en la manga y puso la mano en el evangelio de San
Juan." Villalobos, *Trat. de las tres Grandes*, c. III. "Esa
flecha de la aljaba de su sobrina ha salido, que está em-
bidiosa de verme tomar las horas de latín en la mano."
Cervantes, *La ilustre fregona.*

23 *Binar* = "dar la segunda labor a las tierras." *Diccionario de Autorid.* En San Vicente de la Sonsierra, Lo-
groño, se dice *edrar* = *iterare*, lat.

brir, verlas cercar, verlas vardar, verlas regar,
verlas estercolar, verlas podar, verlas sarmentar y
sobre todo en verlas vendimiar. El que mora en el
aldea toma también muy gran gusto en gozar la
5 brasa de las cepas, en escalentarse a la llama de
los manojos, en hazer una tinada dellos, en comer
de las uvas tempranas, en hazer arrope para casa,
en colgar uvas para el invierno, en echar orujo a
las palomas, en hazer una aguapié para los moços,
10 en guardar una tinaja aparte, en añejar alguna
cuba de añejo, en presentar un cuero al amigo, en
vender muy bien una cuba, en bever de su propia
bodega, y sobre todo en no echar mano a la bolsa
para embiar por vino a la taberna. Los que mo-
15 ran fuera del aldea no tienen manojos que guardar, ni cepas que quemar, ni uvas que colgar, ni

---

1 *Bardar* = "poner bardas en las paredes o tapias."
Diccionario de Autorid. Barda = "cubierta de sarmientos,
paja, espinos o broza que se pone asegurada con tierra o
piedras sobre las tapias de corrales." *Dicc. de Autorid.*
Pero bardar tómase también como sinónimo de cercar con
seto y barda, como equivalente de seto, vallado. "Ara bien
la tierra y barda la viña y ten siempre memoria de la
diosa Ceres." Guevara, *Epíst. a don Alonso de Albornoz*,
I, 8. "Fugiendo avergonzadamente se pasaron detrás de
las bardas de las huertas." Cibdarreal, epíst. "Cuando estaba por las bardas del corral, mirando los actos de tu
triste tragedia, no me fué posible subir por ellas." *Quij.*, I,
capítulo XVIII.
2 *Sarmentar* = "coger los sarmientos podados." Covarrubias, *Tesoro.*
6 *Tinada* = "montón o hacina de leña." *Dicc. de Autoridades.*
7 *Arrope* = mosto cocido.
9 *Aguapié* = "lo que segunda vez se exprime en el la-
gar, echando sobre el orujo agua." Covarrubias, *Tesoro.*
11 *Cuero* = pellejo de vino.

vino que bever, ni aun arrope que gustar; y si algo
desto quiere tener, a peso de oro lo han de comprar.

Es previlegio de aldea que todos los aldeanos se
puedan andar por toda la aldea solos sin que cai-
gan en caso de hermandad, ni pierdan cosa de su
gravedad. No poco sino mucho es bienaventurado
el que bive en el aldea, pues no ha menester escuderos que le acompañen, moços que le tengan la
mula, paje que le traiga la capa de agua, otro paje
que le lleve el sombrero, ropas de martas que traiga el invierno, rasos de Florencia para traer el
verano; y lo que más es de todo, que si el aldea
es algo pequeña, no sólo se puede ir por ella pas-
seando, mas aun cantando. No sólo el marido, mas
aun la muger es en el aldea previlegiada; la qual
no tiene necessidad de quien le lleve la falda, de
poner estrado en la iglesia, de embiar delante sí
el almohada, de llevar consigo ama y donzella, de
escudero que la lleve de braço, de paje que le dé

---

5 En 1476 establecieron los Reyes Católicos con el
nombre de Santa Hermandad, un cuerpo de 2.000 hombres
de a caballo y algunos de a pie, bajo el mando de don
Alfonso de Aragón, hermano del Rey, para perseguir a
los malhechores del reino. A esta Hermandad debe refe-
rirse Guevara.

10 *Martas* = vestidos de piel de marta, animal parecido a la comadreja.

17 *Estrado* = "el lugar donde las señoras se asientan
sobre cogines." Covarrubias, *Tesoro*. "Y verás cómo a ti
te llaman doña Teresa Panza, y te sientas en la iglesia
sobre alcatifa, almohadas y arambeles, a pesar y despe-
cho de las hidalgas del pueblo." *Quij.*, parte II, cap. V.
"Te la pongo en toldo y en peana y en un estrado de más
almohadas de velludo que tuvieron moros en su linaje los
Almohades de Marruecos." Ibídem.

las horas, ni de bachillèr que lleve a los hijos;
aunque no dexaremos de dezir que son algunas tan
locas y vanas que tan galanas se quieren poner en
el aldea delante las labradoras como si fuessen a
5 palacio a ver las damas. El bien del aldea es que
por solo y desacompañado que vaya una a visitar
al vezino, a oyr su misa, a podar la viña, a ver la
heredad, a reconoscer el ganado y a requerir al
yuguero, grangea su hazienda y no pierde nada
10 de su honra.

Es previlegio de aldea que cada vezino se pueda
andar no solamente solo, mas aun sin capa y sin
manteo, es a saber, una varilla en la mano, o
puestos los pulgares en la cinta o bueltas las ma-
15 nos atrás. No pequeña sino grande es la libertad
del aldea, en que si uno no quiere traer calças,

---

1   *Horas*, véase pág. 71, 5.
4   *Delante*, preposición.
9   *Yuguero* = "el que ara con la yunta." Covarrubias,
Tesoro.
9   *Granjear* = negociar, adquirir. "Y Él [Dios] galar-
dona a quien bien granjea y trae ganancia de los talentos
recevidos." Beato Avila, epíst. XI. "La justicia se honra
y granjea con el silencio." Fray Francisco Ortiz, epíst. V.
14   *Cinta* = cintura. "Mi mal no estaba de la cinta arri-
ba, sino de la espinilla abaxo." Guevara, *Letra para el
doctor Melgar*, Médico, I, 49.
16   *Calzas* = "vendas que se rodeaban al tobillo y pantorrilla." Covarrubias. Clemencín dice que hacían el oficio de calzones y medias. *Zaragüelles* = "calzones anchos y
follados en pliegues." *Dicc. de Autorid. Jubón* = vestido
justo y ceñido que se pone sobre la camisa. "Allá entre
el jubón y la camisa le hallaron un hermosísimo retrato
de mujer." Cervantes, *Persiles y Sigismunda*, lib. III, capítulo II. *Agujetas* = cintas de cuero con cabos de metal.
"El cortesano que sufre abrocharse con agujetas sin clavo..., es hombre de baxo suelo u de torpe ingenio." Gue-

trae çaragüelles; si no quiere traer capa, ándase
en cuerpo; si le congoxa el jubón, afloxa las agujetas; si ha calor, ándase sin gorra; si ha frío,
vístese un zamarro; si llueve mucho, embístese un
capote; si le pesa el sayo, ándase en calças y ju- 5
bón; si haze lodos, cálçase unos zancos; y si ay
algún arroyo, sáltale con un palo. El pobre hidalgo que en el aldea alcança a tener un sayo de paño
recio, un capuz cerrado, un sombrero bueno, unos
guantes de sobreaño, unos borceguíes domingue- 10
ros y unos pantuflos no rotos, tan hinchado va él
a la iglesia con aquellas ropas como irá un señor
aforrado de martas. No gozan deste previlegio los
que moran en la villa o ciudad; porque allí acontesce el marido no salir de casa por tener la capa 15
raída y la muger no ir a misa por falta de ama.

Es previlegio de aldea que cada uno se pueda
andar en ella no solamente solo y en cuerpo, mas
aun a pie caminar o se passear sin tener mula ni
mantener cavallo. El que en el aldea bive y anda 20
a pie ahorra de buscar potro, de comprar mula, de
buscar moço, de hazerla almohazar, de tusarle las

---

vara, *Despertador de cortesanos*, capítulo VIII. *Zamarro*
= "vestido de pieles de corderunas o abortos, o de corderos nacidos y aun de ovejas." Covarrubias, *Tesoro*, y
Diccionario de Autorid. Sayo = "casaca hueca, larga y sin
botones." *Dicc. de Autorid. Zancos* = un palo alto, con
una horquilla donde apoyar el pie. *Capuz* = capa larga,
cerrada por delante. *Pantuflos*. Rodríguez Marín dice que
se ponían sobre los zapatos, como los chanclos de ahora.
Véase *Quij.*, cap. I.

22 *Almohazar* = cepillar con la almohaza o rascadera
de hierro.

22 *Tusar* = esquilar, si se dice de animales, y si de
hombres, adobar o cortar la barba o el pelo. "Batizólo el
obispo de Cuenca, que se tusó la barba e se vistió de

crines, de comprar guarniciones, de adobar frenos,
de henchir sillas, de guardar las espuelas, de remendar los aciones, de herrarla cada mes, de darle
verde, de encerrar paja, de ensilar cebada y aun
5 de adobar pesebres. Todas estas menudencias para
un pobre hidalgo no sólo son enojosas, más aun
costosas; el gasto de los quales se siente todas
las vezes que se echa mano a la bolsa o se habla
de casar una hija. No es de passar entre renglones
10 lo que haze un pobre hidalgo quando va a la villa
a mercado. El se viste un largo capuz, se reboça
una toca casera, se encasqueta un sombrero viejo,
se pone unas espuelas ginetas, se calça los borceguíes del domingo, alquila una borrica a su vezino,
15 vase en ella cavallero, lleva los pies metidos en las
alforjas, en la mano un palo con que la aguija, y lo

nuevo, que parecía que demandaba la vacanza del Arzobis-
pado de Toledo." Cibdarreal, carta I. Nace de *tonsum*, su-
pino de *tondēre*.

1   *Adobar*, véase pág. 68, 13.
2   *Henchir sillas*, de pelote o de crin.
3   *Aciones* = "la correa de la silla en que va puesto y
pendiente el estribo." Covarrubias, *Tesoro*. "Quando ca-
valgare a cavallo, trabaje por llevar los jaezes bien puestos, la cola y las crines bien peynadas, los estribos muy
limpios, los aciones recios y la silla bien encorada." Guevara, *Despertador de Cortesanos*, cap. VIII.
4   *Ensilar* = entrojar.
12   *Toca*. Dice Covarrubias que en algunas partes de
España no traen los hombres caperuzas ni sombreros y
usan de unas tocas revueltas en la cabeza, como son los
vizcaínos y montañeses. Guevara pone a su hidalguete con
toca y sombrero, al modo que aun hoy debajo del sombrero llevan los labradores de algunas provincias cuando
van de camino, la cabeza rebozada con un pañuelo.
16   *Aguijar*. "Por los tendidos mares | la rica navecilla
va cortando; | Nereidas a millares | del agua el pecho
alzando | turbadas entre sí, la van mirando. | Y de ellas

mejor de todo es que a los que le topan dize que
tiene el cavallo enclavado y a los del mercado dize
que lo dexa en el mesón de la puente arrendado.
Ya que buelve al aldea, dize a sus vezinos que fué
a la ciudad a visitar un enfermo, o a rogar por un 5
preso, o a hazer ver un pleyto, o a poner en prescio un potro, o a sacar seda y paño, o a cobrar el
tercio de su sueldo, como sea verdad que lleve las
alforjas llenas de verdura para la olla, de sal para
casa, de calçado para la gente, de azeite para el 10
viernes, de candelas para la cena, y no será mucho
lleve alguna podadera para podar su viña. A los
lectores de esta escritura ruego que más lo noten
que lo rían esto que aquí hemos dicho; pues le
es más sano consejo al pobre hidalgo ir a buscar 15
de comer en una borrica que no andar hambreando
en un cavallo.

---

hubo alguna | que con las manos de la nave asida | la
aguija con la una | y con la otra tendida | a las demás
que lleguen las convida." Fray Luis de León.
   3 *Arrendado* = atado de la rienda. "Arrendó Antonio
el moço la cabalgadura, que era un poderoso macho."
Persiles y Sigismunda, libro III, cap. VI.
   14 Véase pág. 68, 11.

CAPITULO VI

QUE EN EL ALDEA SON LOS DÍAS MÁS LARGOS Y MÁS CLAROS Y LOS BASTIMENTOS MÁS BARATOS

Es previlegio de aldea que el que morare en ella tenga harina para cerner, artesa para amasar y horno para cozer; del qual previlegio no se goza en la corte ni en los grandes pueblos, a do de necessidad compran el pan que es duro, o sin sal, o negro, o mal lleudado, o avinagrado, o mal cocho, o quemado, o ahumado, o reciente, o mojado, o desazonado, o humedo; por manera que están lastimados del pan que compraron y del dinero que por ello dieron. No es assí por cierto en el aldea, do comen el pan de trigo candeal molido en buen molino, ahechado muy despacio, passado

---

3 *Bastimentos* = alimentos, provisiones. "Para que pueda levar cada vez que fuere al campo, tres o cuatro acémilas de vino y bastimento para dar a los peones." Cibdarreal, carta VIII.

9 *Lleudado* = fermentado con la levadura.

10 *Cocho*, etim. de *coctum*, cocido.

15 *Ahechado* = cribado. "Todavía das, Sancho..., en porfiar que mi señora Dulcinea aechaba trigo..." *Quijote*, parte II, capítulo VIII.

por tres cedaços, cozido en horno grande, tierno
del día antes, amasado con buena agua, blanco
como la nieve y fofo como esponja. Los que biven en el aldea y amasan en su casa tienen abun-
5 dancia de pan para su gente, no lo piden presta-
do a sus vezinos, tienen que dar a los pobres, tienen salvados para los puercos, bollos para los niños, tortas para offrescer, hogazas para los moços,
ahechaduras para las gallinas, harina para buñue-
10 los y aun hojaldres para los sábados.

Es previlegio de aldea que el que mora en ella
pueda hacer más exercicio y tenga más en qué em-
bever el tiempo; del qual previlegio no se goza
en los grandes pueblos; porque allí ha de presu-
15 mir cada uno de ser muy medido en las palabras,
recogido en la persona, honesto en la vida, exem-
plar en las obras, apartado de conversaciones, paciente en las injurias y no muy visitador de las
plazas; por manera que tanto es más tenido uno
20 en la república quanto menos sale de casa. O bienaventurada aldea y bienaventurado el que mora en
ella, a do cada uno se puede poner libremente a
la ventana, mirar desde el corredor, pasearse por
la calle, asentarse a la puerta, pedir silla en la
25 plaza, comer en el portal, andarse por las eras,

---

3 *Fofo* = hueco y con ojos, según aconseja el refrán
castellano: "El pan con ojos, el queso sin ojos y el vino
que salte a los ojos."
8 *Ofrescer*, se refiere a la ofrenda de la Misa. Toda
vía dura en la provincia de Burgos la misma costumbre
de ofrecer tortas al sacerdote en la Misa.
9 *Ahechaduras* = cribaduras, los granos poco llenos o
de otras semillas que caen del arnero al cribar o aechar el
trigo.
10 *Hojaldres* = tortas de manteca, sobadas.

irse hasta la huerta, bever de buces en el caño,
mirar cómo bailan las moças, dexarse combidar en
las bodas, hazer colación en los mortuorios, ser
padrino en los bateos y aun provar el vino de sus
vezinos. Todas estas cosas se pueden en el aldea 5
hazer sin que nadie pierda su auctoridad ni aven-
ture su gravedad.

Es previlegio del aldea que bivan los que biven
en ella más sanos y mucho menos enfermos; lo qual
no es assí en las grandes ciudades, a do por oca- 10
sión de ser las casas altas, los aposentos tristes y
las calles sombrías, se corrompen más ayna los
aires y enferman más presto los hombres. O bendita tú, aldea, a do la casa es más ancha, la gente
más sincera, el aire más limpio, el sol más claro, 15
el suelo más enxuto, la plaza más desembaraçada,
la horca menos poblada, la república más sin ren-
zilla, el mantenimiento más sano, el exercicio más
continuo, la compañía más segura, la fiesta más
festejada y sobre todo los cuydados muy menores 20
y los passatiempos mucho mayores. Es previlegio
de aldea, en especial si es un poco pequeña, que
no moren en ella físicos moços, ni enfermedades
viejas, del qual previlegio no gozan los de los grandes pueblos; porque de cuatro partes de la ha- 25
zienda, la una llevan los locos para chocarrerías
que dizen, la otra llevan los letrados por causas

4 *Bateo* = bautizo. "El Rey señaló por padrino del
bateo al duque don Fadrique." Cibdarreal, epíst. I.
23 *Físico* = médico. "Aquel Redentor e verdadero físico nuestro también nos dió doctrina saludable a los cuerpos como a las ánimas." Fernández del Pulgar, letra XXI.
En esta acepción ha durado hasta la mitad del siglo pasado.

que deffienden, la otra llevan los boticarios por
medizinas que dan y la otra llevan los médicos
por sus curas que hazen. O bendita tú, aldea, y
bendito el que en ti mora, pues allí no aportan
5 bubas, no se apega sarna, no saben qué cosa es
cáncer, nunca oyeron dezir perlesía, no tiene allí
parientes la gota, no ay confrades de riñones, no
tiene allí casa la ijada, no moran allí las opilaciones, no se cría allí bazo, nunca allí se escalien-
10 ta el hígado, a nadie toman desmayos y ningunos
mueren de ahitos. ¿Qué más quieres que diga de
ti, o bendita aldea, sino que si no es para edificar
alguna casa, no saben allí qué cosa son arenas ni
piedra?

15 Es previlegio de aldea que los días se gozen y
duren más; lo qual no es assí en los superbos pueblos, a do se passan muchos años sin sentirlos y
muchos días sin gozarlos. Como en el campo se
passe el tiempo con más passatiempo que no en
20 el pueblo, paresce por verdad que ay más en un
día de aldea que no hay en un mes de corte. O

---

3 *Sus curas,* vale tanto como curas *sui generis;* es un
sus despectivo.

4 *Aportar* = arribar, llegar, tomar puerto.

5 *Bubas;* "las bubas pícaras arrojan a la cara y a la
cabeza unas postillas que es forzoso andar el paciente lleno
de botanas." Covarrubias, *Tesoro.*

8 *Ijada* = ijar, el lado del animal debajo del vientre
junto al anca; aquí se toma por los dolores o enfermedades de los ijares, lo mismo que riñones y bazo, de que también habla.

8 *Opilaciones* = "obstrucción de las vías por donde pasan los humores." *Dicc. de Autorid.*

13 *Arenas.* Juega aquí Guevara de las palabras arenas
y piedra en su sentido natural y en el de concreciones
calizas que obstruyen las vías urinarias.

quál apacible es la morada del aldea, a do el sol
es más prolixo, la mañana más temprana, la tarde más perezosa, la noche más quieta, la tierra
menos humeda, el agua más limpia, el aire más
libre, los lodos más enxutos y los campos más ale- 5
gres. El día de la ciudad siéntese y no se goza y el
día del aldea gózase y no se siente; porque allí el
día es más claro, es más desembarazado, es más
largo, es más alegre, es más limpio, es más ocupado, es más gozado; y finalmente te digo que es 10
mejor empleado y menos importuno.

Es previlegio del aldea que todo hombre que
morare en ella tenga leña para su casa; del qual
previlegio no gozan los que moran en los grandes
pueblos, en los quales es la leña muy trabajosa de 15
aver y muy costosa de comprar; porque los val-
díos a do cortan están lexos y los montes cerca-
nos están vedados. O quánto va de invernar en
la ciudad a invernar en el aldea; porque allí nunca
falta roble de la dehesa, encina de lo vedado, ce- 20
pas de viñas viejas, astillas de quando labran, manojos de quando sarmientan, ramas de quando po-
dan, árboles que se secan o ramos que se derron-
chan. Estas cosas son de voluntad; mas quando se
veen en necessidad, pónense a derrocar vardas, a 25
quemar zarças, a rozar tomillos, a escamondar al-
mendros, a remudar estacas, a partir rozas, a
arrancar escobas, a cortar retamas, a coger oru-

---

26 *Rozar*, limpiar la tierra de las matas que cría, se-
gándolas con el rozón a flor de tierra. Las matas así cor-
tadas se llaman *rozas*, o, con término genérico, *rozo;* ver-
vigracia, traer un carro de *rozo.*

28 *Escobas* = brezos de que se hacen las escobas.

jo, a guardar granzones, a secar estiércol, a traer
cardos, a coger serojas y aun a buscar boñigas.

Es previlegio del aldea que esté cada uno proveído de la paja necesaria para su casa, lo qual
5 no es assí en los pueblos ni en la corte; porque
allí la leña, y la paja, y la cebada son las tres
cosas que a los señores son menos costosas de pagar y más enojosas de aver. Es necessaria la paja
para las mulas que carretean, para los bueyes en
10 invierno, para las ovejas cuando nieva, para el
potro en que andan, para las potras que paren,
para las muletas que crían, para el horno a do
cuezen, para las camas en que duermen, para el
fuego a do se calientan, y aun para embiar al mer-
15 cado una carga. El que para todas estas cosas
uviesse de comprar la paja, sentirlo hía al cabo
del año en la bolsa.

Es previlegio del aldea que todos los que moran
en ella coman a do quisieren y a la hora que qui-
20 sieren, lo qual no es assí en la corte y grandes
pueblos a do les es forçado comer tarde, y frío,
y desabrido, y aun con quien tienen por enemigo.
O bendita tú, aldea, a do comen al fuego si es invierno, en el portal si es verano, en la huerta si
25 ay combidados, so el parral si haze calor, en el
prado si es primavera, en la fuente si es Pascua,
en las eras si trillan, en las viñas si plantan majuelo, a solas si traen luto, acompañados si es fiesta, de mañana si van camino, olla podrida si vie-

---

2 *Serojas*, hojas secas y cortezas desprendidas que
caen de los árboles.
27 *Majuelo* = viña nueva.
28 *Olla podrida;* la receta de la olla podrida es: car-

nen de caza, todo cozido si no tienen dientes, todo
assado si quieren arreciar, a la tarde si no lo han
gana o muy temprano si tienen apetito. Tres condiciones ha de tener la buena comida, es a saber:
comer quando lo ha gana, comer de lo que ha   5
gana, comer con grata compañía; y al que falta-
ren estas condiziones, maldizirá lo que come y aun
a sí mesmo que lo come.

Es previlegio de aldea que todos los que moran
en ella tengan qué se ocupar y con quién se re-   10
crear; lo qual no es assí en la corte y grandes
ciudades, a do son muy pocos los de quien nos fia-
mos e infinitos los que tememos. O felice vida la
del aldea, a do todos los que allí moran tienen sus
passatiempos en pescar con vara, armar pájaros,   15
echar buitrones, cazar con hurón, tirar con arco,
ballestear palomas, correr liebres, pescar con re-
des, ir a las viñas, adobar las vardas, catar las
colmenas, jugar a la ganapierde, departir con las
viejas, hacer cuenta con el tabernero, porfiar con   20
el cura y preguntar nuevas al mesonero. Todos
estos passatiempos dessean los ciudadanos y los
gozan los aldeanos.

---

nero, vaca, gallinas, capones, longanizas, pies de puerco,
ajos, cebollas, etc., todo revuelto y cocido a la par.

13 *Felice, infelice, voraze,* MENOSPRECIO, cap. XVIII;
cálice, muchas veces, en *Letra a don Fadrique Enríquez,* I,
29; *pece,* en *Letra para don Pedro Girón,* I, 5. Se resiste
a caer la *e* final detrás de la fricativa *c.*

16 *Buitrones* = nasa o cesto de mimbres con boca en
forma de embudo, para que, cogida la pesca, no acierte a
salirse.

19 *Ganapierde* = "juego de las damas, en que gana el
que logra dar a comer todas las piezas." *Dicc. de Autoridades.* También en los naipes hay juego de ganapierde
al tute.

CAPITULO VII

QUE EN EL ALDEA SON LOS HOMBRES MÁS VIRTUOSOS
Y MENOS VICIOSOS QUE EN LAS CORTES DE LOS
PRÍNCIPES.

Es previlegio de aldea que todos los que allí mo- 5
raren sientan menos los trabajos y gozen mucho
mejor las fiestas; lo qual no es assí en la corte y
gran república, a do con la gran confusión de negocios y con andar siempre amontados, ni nunca
traen consigo alegría, ni sienten en su casa quán- 10
do es la fiesta. O quán fuera desto están los que
biven en el aldea; porque el día de la fiesta re-
pica mucho el sacristán, riega el día antes la iglesia, empina quando tañe las campanas, canta a
su hora la missa, viste sobrepelliz el sacristán, 15
hinche y alimpia la lámpara, dan pan bendito el
domingo, echan las fiestas de entresemana, decla-
ra el cura el Evangelio, descomulgan a los que no

---

9 *Amontados;* así la edición *princeps* y la segunda de
1545; la de Madrid, de 1673, dice *amontonados,* como aba-
rullados.

14 El orden directo es: "empina las campanas quando
tañe." *Empinar* es voltear, echar a vuelo.

16-17 "Es el caso que en un lugar que se llama Medina,
que está cabe la palomera de Avila, había allí un clérigo

han dezmado, hazen después de missa concejo, matan para los enfermos carnero, vístense los sayos
de fiesta, offrescen aquel día todos, juegan a la
tarde al herrón, tocan en la plaza el tamborino,
5 bailan las moças so el álamo, luchan los moços en
el prado, andan los mochachos con cayados, visí-
tanse los desposados; y aun si es la vocación del
pueblo, no es mucho que corran un toro. En la
corte la señal de que ay fiesta es afeitarse las mu-
10 geres, levantarse tarde los hombres, ponerse de
çapatillas coloradas las moças, almorçar antes de
misa los moços, poner manteles limpios a la mesa,
jugar al triunfo después de comer, visitar a las
paridas, murmurar en la iglesia de las vezinas y
15 merendar las comadres.

Es previlegio de aldea que los que allí moraren
coman las aves escogidas y las carnes manidas;
del qual previlegio no gozan los que residen en la
corte y están en grandes ciudades, a do compran

---

vizcaíno, medio loco, el cual, al tiempo de *echar las fiestas en las iglesias,* las echaba en esta manera: "Encomiéndoos, hermanos míos, un Ave María por la santísima Co-
munidad, porque nunca caiga; encomiéndoos otra Ave María por S. M. del rey Juan de Padilla, porque Dios le pros-
pere; encomiéndoos otra Ave María por su Alteza la
reina nuestra señora doña María de Padilla, porque Dios
la guarde..." Guevara, *Letra para el obispo de Zamora
don Antonio de Acuña,* I, 44.
4 *Herrón,* "rosca de hierro con que tiran a do está
hincado un clavo para ponerla dentro de él o lo más cerca
que puedan." Covarrubias, *Tesoro.*
7 *Vocación* = advocación o fiesta del Santo Patrón del
pueblo.
9 *Afeitarse* = aderezarse, componerse con afeites. "Entraron con él [Monipodio] dos mozas, afeitados los ros-
tros, llenos de color los labios y de albayalde los pechos."
Cervantes, *Rinconete y Cortadillo.*

las aves viejas y las carnes flacas. O vida bienaventurada la del aldea, a do se comen las aves
que son gruesas, son nuevas, son cebadas, son sa-
nas, son tiernas, son manidas, son escogidas y aun
son castizas. El que mora en la aldea come palo- 5
minos de verano, pichones caseros, tórtolas de jau-
la, palomas de encina, pollos de enero, patos de
mayo, lavancos de río, lechones de medio mes, gazapos de julio, capones cebados, ansarones de pan,
gallinas de cabe el gallo, liebres de dehesa, conejos 10
de zarçal, perdigones de rastrojo, peñatas de lazo,
codornices de reclamo, mirlas de vaya y çorçales
de vendimia. O no una, sino dos y tres vezes glo-
riosa vida de aldea, pues los moradores della tienen cabritos para comer, ovejas para cezinar, ca- 15
bras para parir, cabrones para matar, bueyes para
arar, vacas para vender, toros para correr, car-
neros para añejar, puercos para salar, lanas para
vestir, yeguas para criar, muletas para emponer,
leche para comer, quesos para guardar; finalmen- 20
te, tienen potros cerriles que vender en la feria
y terneras gruesas que matar en las Pascuas.

Es previlegio del aldea que allí sea el bueno honrado por bueno y el ruin conoscido por ruin, lo
qual no es assí en la corte ni en las grandes repúblicas, a do ninguno es servido y acatado por

---

7   Palomas de encina son palomas bravías; pollos de
Enero o tempranos: lavancos son ánades.
9   De pan. La expresión "de pan" es ponderativa de
la bondad de una cosa. "Mi mujer suplica a V. m. que
coma deste carnero, que es de pan y lo ha criado para
vuestra merced." Gonzalo de Ayora, carta XIV.
12   Mirlas, etim. de mérula; mirlo es formación posterior. Zorzales = tordo.

lo que vale, sino por lo que tiene. O quánto es
honrado un bueno en una aldea, a do a porfía le
presenta las guindas el que tiene guindalera, bre-
vas el que las tiene tempranas, melones si le sa-
5 lieron buenos, uvas si las tiene moscateles, panales el que tiene colmenas, palominos de la primera
cría, morcillas si mata puerco, gazapos el que los
arma, fruta el que tiene huerta, truchas el que
tiene red, besugos quien va al mercado y aun ho-
10 jaldres quien amasa el sábado.

Es previlegio de aldea que cada uno case sus
hijas con otros sus iguales y vezinos, del qual previlegio no gozan los que andan en corte y moran
en grandes pueblos, los quales casan a sus hijos
15 tan apartados de sí que más vezes los lloran que
los gozas. O quán más bienaventurado es un labrador que no uno señor, pues a pared y medio
de su casa halla esposos para sus hijas y mugeres
para sus hijos. Cásalos cabe su casa, regálase con
20 sus nueras, hónrase con sus yernos, acompáñase
con sus suegros, combídanse a las Pascuas, cóm-
prales algo en las ferias, búrlase con los nietos,
da aguinaldo a las nietas, mejora a la hija más
querida y regala a la nuera que tiene en casa.

25 Es previlegio de aldea que no tengan allí los
hombres mucha soledad ni enojosa importunidad,
del qual previlegio no gozan los que andan en la
corte y biven en los pueblos grandes, a do cada
día les faltan los dineros y le sobran los cuydados.

---

29 *Le* = les. "La cual flaqueza devían procurar de esforçar los que goviernan con todos los medios posibles,
aunque muy costosos le fuessen." Beato Avila, epíst. XI.
"No es dado a los caballeros andantes quejarse de herida

O felice vida la del aldeano, el cual no se levanta
con cuydado de madrugar al consejo, de ir a las
diez a palacio, de contentar al portero, de acompañar al presidente, de aguardar al privado, de
estar al comer del rey, de buscar a do coma, de 5
andar tras aposentadores y contentar a contadores. En lugar destos cuydados, tiene el aldeano
otros passatiempos, es a saber, oir balar las ovejas, mugir las vacas, cantar los páxaros, graznar
los ánsares, gruñir los cochinos, relinchar las ye- 10
guas, bramar los toros, correr los becerricos, sal-
tar los corderos, empinarse los cabritos, cacarear
las gallinas, encrestarse los gallos, hazer la rueda
los pavos, mamar las terneras, abatirse los mila-

---

alguna, aunque se le salgan las tripas por ella." *Quij.*, parte I, cap. VIII. "En estos ejemplos —dice el señor García de Diego— el *le* adquiere cierta indeterminación, por
lo cual se aplica lo mismo a singular que a plural." *Epistolario* del Beato Avila, epíst. XI. Corroborando esta opinión, y para que no se tome como descuido del escritor
o como error de imprenta lo que es un verdadero caso
gramatical, vamos a añadir otros dos ejemplos siquiera,
a más del de Guevara, que ha motivado la presente nota.
"El adelantado Diego de Ribera fizo aprisionar en Sevilla algunas personas e con buena guarda los manda al Rey,
que los espera, si yo no soy mal zahorí, no para dar *le*
tortas e pan pintado..." Cibdarreal, epíst. LXI. "Y de
aquí se complican dos mil desatinos que no *lo* entiende el
mismo que los padece." Villal., *Declaración del Anfitrión*,
capítulo IV. *Bibl. Clás.* Barcelona. Aun hoy se ve usado
así, en el lenguaje corriente, alguna que otra vez. Y no
son únicos estos ejemplos.

14 *Abatirse* = bajar, descender. "Y aunque la condición e inclinación de los dos manchegos era la misma que
la de los cuervos nuevos, que a cualquier carne se abaten." Cervantes, *La tia fingida.*

nos, apedrearse los mochachos, hazer puchericos
los niños y pedir blancas los nietos.

Es previlegio de aldea que allí sean los hombres
más virtuosos y menos viçiosos, lo qual no es assí
5 por cierto en la corte, y en las grandes repúblicas,
a do ay mil que os estorben el bien y cien mil que
os inciten al mal. O bienaventurada aldea en la
qual el buen aldeano aguarda el día del disanto,
offresce en la fiesta, oye missa el domingo, paga
10 el diezmo al obispo, da las primicias al cura, haze
sus Todos-Santos, lleva offrenda por sus finados,
ayuda a la fábrica, da para los santuarios, empresta a los vezinos, da torrezno a San Antón, harina al sacristán, lino a San Lázaro, trigo a Gua-
15 dalupe; finalmente, va a vísperas el día de la fiesta y quema su tabla de cera en la misa. No sólo
es buena el aldea por el bien que tiene, más aun
por los males de que caresce; porque allí no ay

---

2 *Blanca*, moneda pequeña. En este tiempo cada dos
blancas valían un maravedí.

8 *Disanto* = día festivo o domingo.

11 "Predicando a S. M. en el sermón de Todos Santos..." Guevara, *Letra para el conde de Miranda*, I, 4.
Véase pág. 57, 17.

12 Santuarios o imágenes devotas a quienes se daba
limosna en las especies que dice el autor. "Peregrine quien
quisiere a Monserrate, váyase a ganar el jubileo de Santiago, prométase a Nuestra Señora de Guadalupe, váyase a San Lázaro de Sevilla, envíe limosna a la Casa Santa, tenga novenas en el Crucifijo de Burgos y offrezca su
hacienda a San Antón de Castro, que yo no quiero otra
estación sino la del infierno." Guevara, *Letra para el guardián de Alcalá*, I, 15.

16 Tablas rodeadas de cerillo, que se desenrolla conforme se va gastando y arde durante la Misa, el Rosario,
etcétera, en la sepultura que cada mujer pone en la iglesia con anuencia del Párroco.

estados de que tener embidia, no ay cambios para
dar a usura, no ay botillería para pecar en la gula,
no ay dineros para ahuchar, no ay damas para
servir, no ay bandos con quien competir, no ay cortesanos a quien requerir, no ay justas para se 5
vestir, no ay tableros a do jugar, no ay justizias
a quien temer, no ay chancillerías a do se perder,
y lo que es mejor de todo, no ay letrados que nos
pelen ni médicos que nos maten.

Es previlegio del aldea que los que allí mora- 10
ren puedan de su hazienda guardar más y gastar
menos, del qual previlegio no gozan los cortesanos,. ni aun los que residen en superbos pueblos;
porque allí biven muy menos consolados y muy
más costosos. O bienaventurado el aldeano, el qual 1
no tiene necessidad de traer tapicería de Flandes,
comprar antepuertas, proveerse de alfombras, hazer sobremesas, armar camas de campo, labrar
vaxillas de plata, servirse con fuentes, sufrir cozinero, buscar trinchante, pagar cavallerizo, ni re- 20
ñir con el despensero y, lo que es mejor de todo,
que no ha de sacar dineros a cambios, ni aun fiarse de su camarero. En todos estos officios y a todos
estos officiales muy poca es la costa de pagarlos 25
a respecto del trabajo que se suffre en suffrirlos.
El que bive en la corte y en los grandes pueblos,
más alhajas tiene para cumplir con los que vienen

---

2 *Botillería* = despensa.
5 *Justas* = ejercicio caballeresco, en el cual dos caballeros, partiendo de distinto campo al son de trompeta, ve-
nían a encontrarse en medio con la lanza.
6 *Tableros* = "casas de juego." *Dicc. de Autorid.*
18 *Sobremesas* = tapetes, cubremesas; como sobreca-
mas = cubrecamas.

a su casa que para el servicio de su persona. O
quán dichoso es en este caso el aldeano, al qual
le abasta una mesa llana, un escaño ancho, unos
platos bañados, unos cántaros de barro, unos ta-
5 jaderos de palo, un salero de corcho, unos manteles caseros, una cama encaxada, una cámara
abrigada, una colcha de Bretaña, unos paramen-
tos de sarga, unas esteras de Murcia, un çama-
rro de dos ducados, una taça de plata, una lança
10 tras la puerta, un rocín en el establo, una adarga
en la cámara, una barjuleta a la cabecera, una
bernía sobre la cama y una moça que le ponga la
olla. Tan honrado está un hidalgo con este axuar
en una aldea como el rey con quanto tiene en su
15 casa.

5   *Tajadero* = "plato trinchero para cortar la carne."
Diccionario de Autorid.

11   *Barjuleta* = "bolsa." Covarrubias, *Tesoro.* "Es previlegio de galera que todas las pulgas y todos los piojos...
sean comunes a todos..., y si alguno apelare deste previlegio... desde ahora le profetizo que si echa la mano al
pescueço y a la barjuleta, halle en el jubón más piojos
que en la bolsa dineros." Guevara, *Arte de Marear,* capítulo VI.

12   *Bernía* = "capa larga, a modo de mante." *Diccionario de Autoridades.*

13   Este ajuar del hidalgo de aldea recuerda instan-
táneamente el del más famoso entre todos ellos, Alonso
Quijano, a quien su padre legítimo, que no padrastro, Cervantes, dió como primer caudal lanza en astillero, adarga antigua, rocín flaco y galgo corredor.

CAPITULO VIII

QUE EN LAS CORTES DE LOS PRÍNCIPES TIENEN POR ESTILO HABLAR DE DIOS Y BIVIR DEL MUNDO

En la corte como no ay justizia que tome las armas, no ay campana que taña a queda, no ay padre que castigue al hijo, no ay amigo que corrija al próximo, no ay vezino que denuncie al amancebado, no ay fiscal que acuse al usurero, no ay provisor que compela a confessar, no hay cura que llame a comulgar, el que de su natural no es bueno, gran libertad tiene para ser malo. En la corte, si quiere uno adulterar, ay factores que lo negocien; si quiere vengar injurias, ay quien tome

---

5 *Queda* = "señal que se hace a cierta hora de la noche para que todos se recojan en sus casas y se aquieten." Covarrubias, *Tesoro*. En rigor, *queda* es el descanso, el reposo del sueño, y con idéntico significado existe el verbo *queaar*, activa, etim. de *quietare*. "E dice Binuesa el mozo que atiza la lamparilla que *queda* al rey que oyó decir a su señoría aquella noche que [*cuando*] le quitaba los borceguíes Juan de Silva el alférez." Cibdarreal, Epíst. XIV.

12 *Factor*, término comercial = encargado de compras y otros negocios. "La vida del patrón está en el piloto y la conciencia del juez en su tiniente y la hazienda del mercader en su factor." Guevara, *Aviso de privados*, capítulo XII.

por él la mano; si quiere banquetear, a cada passo
hallará glotones; si quiere públicamente mentir,
no le falta con quien lo apruebe; si se quiere amo-
tinar, assaz hallará de apassionados; si quiere ju-
5 gar lo que tiene, hallará tableros públicos; si quiere darse a hurtar, hallará hombres de gran suti-
leza; si quiere jurar falso, hallará quien se lo pa-
gue; si quiere no ir a la iglesia, no avrá quien dello
le acusse; finalmente digo, que si quiere darse a
10 los vicios, halla en la corte muy famosos maestros.
En la corte siempre acuden a ella hombres de muy
diversas partes a negociar, a pleytear, a servir o
a se mostrar; los quales como son primerizos y
biven un poco bisoños, luego son con ellos moços
15 de cámara, ministriles que tañen, cantores que can-
tan, porteros de cadena, músicos de cámara, ju-
glares de corte, truhanes de palacio y hidalgos pobres, a los quales piden estrenas, ferias, albricias
y aguinaldos, y si les dan los señores algo, no es
20 a fin de socorrerlos, sino porque publiquen en la
corte que son magníficos. En la corte, como la fortuna es inconstante en lo que da y muy incierta
en lo que promete, de una hora a otra cae uno y
sube otro, muérese éste y sucédele aquél, abaten

---

3 *Aprobar.* "La fuerza y hermosura de la verdad echa
fuera sus resplandecientes rayos, con los cuales aprueba
y justifica a sí misma." Granada, *Símbolo de la fe*, II, 8.

16 "Deve el cortesano tomar amistad con los *porteros
de cadena,* porque dexen entrar en el çaguán su mula y
lo mismo deve hacer con los *porteros de la sala,* porque
traten bien a su persona. Con los *porteros* que son de *cámara* hase de aver de otra más alta manera." Guevara,
Despertador de cortesanos, c. IX.

18 *Estrenas,* véase pág. 68, 14.

al privado y subliman al abatido, no admiten al
que viene y ruegan al que se va, creen a los simples y desmienten a los sabios, de los animosos
tienen sospecha y fíanse de los cobardes, creen la
mentira e impugnan la verdad, finalmente digo, 5
que siguen la opinión y huyen de la razón. Con
estas y con otras semejantes cosas que se veen en
las cortes de los príncipes, cada uno tiene esperança que agora más agora vendrá por sus puertas fortuna; aunque es verdad que muchos corte- 10
sanos hallan primero la sepultura que no a ellos
halle fortuna. En la corte ay muchos hijos de señores, que, cuando vinieron a ella, eran más para
se casar, que no para servir; porque son muy des-
cuydados, hablan como bisoños, no son nada poli- 15
dos, andan desacompañados, cuentan donayres muy
fríos, son en el visitar muy pesados, comen como
aldeanos, son con las damas muy cortos, son en
las mesuras un poco locos y en el hablar de palacio muy grandes nescios. El bien que de su veni- 20
da se sigue es que ay en la corte para algunos
días de que burlar y para algunas noches de que

---

9 *Agora más agora, luego luego, al fin al fin, nunca
por nunca*... La repetición de estos adverbios apura su significación, viniendo a ser un superlativo suyo. "Acontece en
la Corte que luego luego que vee uno su posada se da
por contento y después que vee las posadas de los otros
se da por mal aposentado." Guevara, *Despertador de cortesanos*, c. II. "Por esto que Feliciana dijo nació en todos
un deseo de oirla cantar luego luego." Cervantes, *Persiles
y Sigismunda*, l. III, c. IV. "Al fin al fin la mala inclinación puédese resistir, mas la mala costumbre tarde o nunca se puede dexar." Guevara, *Letra para el alcayde de Hi-
nestrosa Sarmiento*, I, 63. "Nunca por nunca debe el buen
amigo ser lisongero de su amigo." *Letra para el jurado
Nuño Tello*, II, 19.

mofar. En la corte cada día acontescen cosas re-
pentinas, desgracias nunca pensadas, es a saber,
que el galán salió mal enjaezado, cayó el cavallo,
erró el encuentro, paró en la carrera, sacó pobre
5 librea, dió algún golpe feo, contó alguna frialdad,
burlóle su dama, descuydóse en alguna mesura o
dixo alguna pachochada, por manera que tienen
dél en palacio que, contar y por las mesas de señores que dezir. En la corte, como nunca faltan pas-
10 siones entre cavalleros, enojos entre criados, embidia entre privados, competencias entre oficiales,
enemistades entre generosos, dessasosiegos entre
ambiciosos y rencillas entre maliciosos, nunca faltan allí muñidores que las mueven, farautes que
15 las cuenten y aun bandoleros que las sustenten; y
a las vezes gana en la corte mejor de comer un
malsín a malsinar que no un teólogo a predicar.
En la corte todo se permite, todo se dissimula,
todo se admite, todos caben, todos passan, todos
20 se suffren, todos se compadescen, todos se sustentan y todos biven. Y si todos biven, digo que es,
unos de abogar, otros de juzgar, otros de escrevir, otros de servir, otros de lisongear, otros de
jugar, otros de mentir, otros de chocarrear, otros
25 de hurtar, otros de trampear, otros de cohechar
y aun otros de alcahuetear. En la corte, los que
son extremados topan con otros extremados, es a
saber, el que es furioso halla con quien reñir, el

14 *Muñir* = concertar tratos, fraguar intrigas. *Fa-*
raute = mensajero. "E yo mando cabalgando mi faraute,
que dirá a Vm. cuáles andamos." Cibdarreal, epíst. XII.
Bandolero = parcial, banderizo.
17 *Malsín* = murmurador, y *malsinar* = murmurar de
unos con otros.

traviesso con quien se acuchillar, el leído con quien
disputar, el adúltero con quien pecar, el malicioso con quien murmurar, el goloso con quien gustar, el tahur con quien perder, el codicioso con
quien trampear, el importuno a quien moler, el 5
loco con quien competir, el agudo con quien se
desaminar y aun el nescio quien le engañar y el
bivo quien le mofar. En la corte todos los cortesanos se prescian de sanctos propósitos y de he-
roycos pensamientos, porque cada uno de los que 10
andan allí proponen de retraerse a su casa, desechar los cuydados, olvidar los vicios, hazer capi-
llas, casar huérfanas, atajar enemistades, irse a
las horas, ordenar confradías y reparar ermitas,
y en lo que paran sus deseos es que se quedan allí 15
hablando de Dios y biviendo del mundo. En la
corte ninguno con otro tiene tanta cuenta, para
que nadie le osse pedir cuenta; y de aquí viene que
el cavallero se anda sin armas, el Perlado sin hábito, el clérigo sin breviario, el fraile sin licencia, 20
la monja sin obediencia, la hija sin madre, la muger sin marido, el letrado sin libros, el ladrón sin
espías, el moço sin disciplina, el viejo sin vergüença, el mesonero sin arancel, el regatón sin

---

7 *Desanimar* es todavía para el vulgo *examinar*.

8 La similicadencia arrastró a Guevara a poner en
infinitivo las dos últimas frases que, en buena Gramática,
piden presente de subjuntivo.

10-11 *Cada uno... proponen.* Como *cada uno* es igual a
todos, uno por uno, puede por su significación colectiva llevar el verbo a plurar, mayormente cuando entre uno y otro
se interponen algunas palabras que suavizan la natural
extrañeza de tal concordancia.

14 *Horas* = el rezo de las horas, váase pág. 71, 5.

24 *Regatón* = revendedor.

peso, el tahur de casa en casa, el goloso de mesa
en mesa, el vagabundo de plaza en plaza, y aun
la alcahueta de moça en moça. En la corte todos
son obispos para crismar y curas para baptizar y
5 mudar nombres, es a saber, que al sobervio llaman honrado; al pródigo, magnífico; al cobarde,
atentado; al esforçado, atrevido; al encapotado,
grave; al recogido, hipócrita; al malicioso, agudo;
al deslenguado, eloquente; al indeterminado, pru-
10 dente; al adúltero, enamorado; al loco, regocijado;
al entremetido, solícito; al chocarrero, donoso; al
avaro, templado; al sospechoso, adevino, y aun al
callado, bovo y nescio.

---

7 *Atentado* = el que se atienta, prudente. "Advirtióle
que anduviese más atentado en acometer los peligros."
Quij., II, 8.
7 *Encapotado* = ceñudo.

CAPITULO IX

QUE EN LAS CORTES DE LOS PRÍNCIPES SON MUY PO-
COS LOS QUE MEDRAN Y MUY MUCHOS LOS QUE SE
PIERDEN.

En la corte poco aprovecha que sean los hom- 5
bres cuerdos, si por otra parte son mal fortuna-
dos; porque allí los servicios se olvidan, los amigos faltan, los émulos crescen, la nobleza no se
admite, la sciencia no se conosce, la cordura no
aprovecha, la humildad no luze, la verdad no se 10
consiente, la habilidad no se emplea, el consejo
no se rescibe, ni aun el nescio no se conosce. El
minero más rico y la alquimia que más aprovecha
en la corte es ser el cortesano bien fortunado o
ser privado del privado. En la corte no sólo se 15
mudan las complisiones, mas aun las condiciones.
Para provar esta sentencia no hemos menester a
Platón que lo diga ni a Cicerón que lo jure, pues
vemos de cuerdos tornarse locos; de mansos, presumptuosos; de abstinentes, golosos; de pacientes, 20
mal acondicionados; de nobles, maliciosos; de pa-

---

13 *Minero* = beta, filón. "Baste que les muestre el minero del oro..." Ossuna, *Abeced. espir.*, parte II, tr. III,
c. III.

cíficos, reboltosos; de callados, chocarreros; de honestos, amancebados; de ocupados, vagabundos, y
aun de devotos, tibios criatianos. En la corte es la
virtud muy trabajosa de alcançar y muy peligro-
5 sa de conservar; porque allí la humildad peligra
entre las honras; la paciencia, entre las injurias;
la abstinencia, entre los manjares; la castidad, en-
tre las damas; la quietud, entre los negocios; la ca-
ridad, entre los enemistados; la paz, entre los ému-
10 los; la solicitud, entre los vagabundos; el silencio, entre los chocarreros, y aun el seso, entre los
locos. En la corte ninguno bive contento y no ay
quien no diga que está agraviado; porque se quexa
del rey que no le haze mercedes, del privado que no
15 le es amigo, del émulo que se lo estorba, del pariente que no le ayuda, del amigo que no le habla,
del presidente que no le despacha, del aposentador
que no le aposenta, del portero que no le abre, del
contador que no le libra, del tesorero que no le
20 paga, del alguazil porque le desarma, del trapero
porque no le espera, del banquero porque le exe-
cuta, y aun del truhán si le dixo alguna malicia.
En la corte si leen una carta que da plazer, se res-
ciben otras veynte que dan pesar. Y porque no
25 parezca hablar de gracia, hallará cada uno por
verdad que, si la carta habla de la muger, es que
se tarda mucho; si de las hijas, quieren que las
case; si de los hijos, que son traviessos; si de los
amigos, que los olvida; si de los parientes, que los
30 socorra; si de los vassallos, que le ponen pleyto;
si de los renteros, que no le pagan; si de los ca-

---

19 ... *libra* = despacha el libramiento de pago.
20 *Trapero* es mercader de paños. Covarrubias, *Tesoro*.

seros, que se caen las casas; si del mayordomo, que
no ha cobrado; si del procurador, que le embíe
dinero; si de su amigo, que es un desconoscido, y
si es del trapero, que es llegado el plazo. Bien creo
yo que ay muchos en la corte que si dieron de por- 5
te un real al correo, le dieran quatro por no las
aver rescebido. En la corte muchas cosas hace un
cortesano por necessidad que no las haría en su
tierra de voluntad. Que sea esto verdad paresce
claro en que come con quien no le ama, habla a 10
quien no conosce, sirve a quien no se lo agrades-
ce, sigue a quien no le honra, defiende a quien no
le ayuda, empresta a quien no le paga, comunica
con quien no le es grato , dissimula con quien le
injuria, honra a quien le infama y aun fíase de 15
quien le engaña. En la corte a ninguno le combiene bivir con esperança que otros le han de ayudar. O triste del cortesano, el qual, si viene a pobreza, ninguno le socorre; si cae enfermo, nadie
le visita; si allí se muere, todos le olvidan; si anda 20
pensativo, nadie le consuela; si es virtuoso, pocos
le alaban; si es traviesso, todos le acussan; si es
descuydado, nadie le avisa; si es rico, todos le piden; si está empeñado, nadie le empresta; si está
preso, nadie le fía, y aun si no es algo privado no 25
tiene ningún amigo. En la corte no hay cosa más
rara de hallar y más cara de comprar que es la
verdad. En las cortes de los Príncipes y en las
casas de los grandes Señores, de tres géneros de
gentes ay mucha abundancia, es a saber, quien se 30
atreva a murmurar, quien sepa lisongear, y quien
osse mentir. Al Príncipe engáñanle los lisongeros;
a los privados, los negociantes; a los señores, los

mayordomos; a los ricos, los truhanes; a los moços, las mugeres; a los viejos, la codicia; a los
perlados, los parientes; a los clérigos, la avaricia;
a los frailes, la libertad; a los presumptuosos, la
5 ambición; a los maliciosos, la passión; a los agudos, la afección; a los prudentes, la confiança; a
los locos, la sospecha, y aun a todos juntos, la fortuna. En la corte es a do los hombres más tiempo
pierden y que menos bien le emplean. Desde que
10 un cortesano se levanta hasta que se acuesta, no
ocupa en otra cosa el tiempo sino en ir a palacio, preguntar nuevas, ruar calles, escrevir cartas, hablar en guerras, relatar parcialidades, visitar a los privados, banquetear en huertas, hala-
15 gar a los porteros, mudar amistades, remudar mesas, hablar con alcahuetas, requestar damas y aun
preguntar por hermosas. En la corte más que en
otra parte son todas las cosas pesadas y tardías.
20 O triste del cortesano el qual se levanta tarde, despacha tarde, visita tarde, le oyen tarde, se confie-
sa tarde, reza tarde, se retrae tarde, se enmienda
tarde, le conoscen tarde y aun medra tarde. En
la corte son infinitos los que se pierden y muy po-
25 quitos los que medran. No podemos negar sino
que allí se mueren los privados, allí se mudan los
estados, allí caen los favorescidos, allí se ençarçan
las biudas, allí se infaman las casadas, allí se suel-

---

12 *Ruar* es pasear el galán la calle. Covarrubias, *Tesoro.*

16 *Requestar* es, etimológicamente, demandar, pedir. "E
mandó, a recuesta del Rey de Navarra e del Infante, que
a todas las ciudades e villas del reino se mandase una
auténtica..." Cibdarreal, epíst. XI. De ahí pasó a signifi-
car requerir o demandar de amores.

tan las doncellas, allí se mohecen los ingenios, allí
se acobardan los esforçados, allí se derraman los
religiosos, allí se niegan los perlados, allí se olvidan los doctos, allí desatinan los cuerdos, allí se ⁵
envejecen los moços y aun allí se tornan locos los
viejos. En la corte es llegada a tanto la locura,
que no llaman buen cortesano sino al que está muy
adeudado. Qué lástima es de ver a un cortesano,
el qual debe al trapero el paño para los moços; ¹⁰
al joyero, la seda de la librea; al sastre, la hechura que no le pagó; a la dama, el raso que le mandó; a la amiga, la holanda que le prometió; al juez,
las costas del proceso; al platero, la hechura de
la medalla; a los moços, la soldada del mes; a los ¹⁵
huéspedes, el alquiler de las camas; al correo, el
porte de las cartas; al corredor, la venta del cavallo; a los porteros, el aguinaldo de la Pascua, y
aun a la lavandera, el lavar de la ropa.

---

1   Se hacen sueltas y libertinas.
9   *De ver...* La preposición *de* responde al substantivo
lástima, como régimen natural suyo. Abundan ejemplos de
tal régimen. V. pág. 156, 2.
16   *Huéspedes* = hospedadores. V. pág. 67, 14.

CAPITULO X

QUE EN LAS CORTES DE LOS PRÍNCIPES NINGUNO PUE-
DE BIVIR SIN AFECCIONARSE A UNOS Y APASSIONAR-
SE CON OTROS.

En la corte muchas cosas se compran las qua- 5
les son para servir y no para fuera de allí las llevar. Paresce esto ser verdad en que, llegando a
la corte, ha de buscar ropa para la gente, pesebres
para las bestias, tablas para las camas, mesas para
aparadores, ollas para la cozina, cántaros para 10
agua, espuertas para la despensa, encerados para
las ventanas, platos para la mesa, esteras para el
suelo, puertas para las cámaras, cerraduras para
las arcas, jarras para bever y aun escobas para
barrer. En la corte muchas cosas haze un corte- 15
sano más porque las hazen otros, que no porque
las querría él hazer. O pobre del cortesano, el qual
banquetea por no ser hipócrita, juega por no ser
mezquino, murmura por no ser extremado, sirve

---

7 *Paresce* = aparece, se descubre; véase pág. 32, 10.
11 "*Encerados* = lienzos dados de cera para resguardar
del agua las ventanas." *Dicc. de Autorid.*
14 *Y aún* = *y finalmente,* como remate de enumeración,
según ya hemos advertido otras veces.

a las damas por no ser frío, acompaña a otros
por no ser solitario, da a truhanes porque no digan mal dél, contenta a las enamoradas porque
no le descubran, y aun anda enmascarado por no
5 ser singular. En la corte es necessario al que en
ella morare, que como ella está llena de passiones
y bandos, él se afeccione a unos y se apassione
con otros, él siga a los amigos y persiga a los enemigos, él alabe a los suyos y meta hierro contra
10 los extraños, él avise a los que quiere bien y expíe
a los que dessea mal, él gaste con los de su bando
la hazienda y emplee contra los contrarios la vida,
él loe a los de su parcialidad y oscurezca a los que
quiere mal. Y todo esto ha de hazer por quien se
15 lo terná en poco y se lo agradescerá mucho menos.
En la corte súffrese tener un amo; mas junto con
esto ha de seguir a muchos señores. O desventu-
rado del cortesano el qual antes que comience a
medrar ha de servir al príncipe, seguir a los pri-
20 vados, cohechar a los porteros, dar a los truhanes,
quitar a todos la gorra, hazer a quien no lo meresce reverencia, dezir al oficial Vuestra Merced,
aguardar que despierte el secretario, llamar a
quien no llaman Señoría, alçar al del consejo el
antepuerta, dar al que trata en palacio la silla,

7 *Apassionarse;* aquí vale tanto como tomar ira, de-
clararse enemigo. Parece ser que *apassionarse* lo aplica
Guevara sólo al apetito irascible y *afeccionarse* sólo al con-
cupiscible. "Y lo peor de todo es que me doy a conversaciones inútiles, las cuales me acarrean algunas pasiones
pesadas y aun afecciones bien excusadas." Guevara, *Letra
para don Diego de Guevara,* I, 32.
25 *Antepuerta.* Levantar el repostero o paño que se
pone delante de la puerta para que pase el que quiere
entrar. Covarrubias, *Tesoro.*

dejar al privado la cabecera de mesa; finalmente
deve en la corte hazerse a las condiciones de todos
y aun fingir parentesco con algunos privados. En
la corte, si es trabajoso el residir, es insuffrible
el negociar. O qué lástima es ver a un pobre ne- 5
gociante, en especial si es un poco bisoño, el qual
con el rey ha muy tarde audiencia, en casa del
privado le cierran la puerta, en el consejo dilatan
su justicia, los contadores nunca le libran, el arren-
dador nunca acepta su librança, el pagador nunca 10
llega, su memorial nunca se vee, si se vee algún
sábado dizen que no hay lugar, si pide mercedes
remítenle a consulta, si busca su provisión dicen
que no ha firmado el rey, si firma el rey no la halla
refrendada, si la va a refrendar remítenle al sello, 15
despachada del sello ha de ir al registro, de manera que la rescata a trabajos y la compra por
dineros. En la corte, aunque no tenga uno enemigos, le desassossiegan los suyos propios. A las
vezes quiere uno estarse en su casa y su muger le 20
mata porque no va a visitar, los cuñados porque
no pide algo para ellos, los amigos que se vaya a
pasear, los parientes que se dé al valer, los tahures que se retraigan a jugar, los golosos que se
vaya a una huerta, y aun los livianos que vaya a 25
ver una hermosa. En la corte, los que una vez se
avezan a andar en ella son naturalmente enemigos
de reposo y amigos de novedades. O con quánto
desassossiego bive un cortesano, el qual, a manera
de gitano, querría cada mes mudar lugar, tomar 30
posada, conoscer amigos, cortar ropas, renovar
huéspedes, rescebir criados, andar por ventas, llegarse a parcialidades, conoscer nuevas conversa-

ciones, sacar nuevas libreas, ver diversas tierras,
emprender nuevos negocios y aun topar con nuevos amores. He aquí, pues, los trabajos del cortesano; he aquí la vida del aldeano, la qual será
5 de muchos leída y de muchos aprovada y de pocos
escogida, porque las escrituras todos las leen, mas
las costumbres ninguno las muda. Sea, pues, la
conclusión de todo nuestro intento, que las cortes
de los príncipes solamente son para dos géneros
10 de gente, es a saber, para privados que las des-
frutan o para los moços que no las sienten. Los
que son privados y tienen mano en los negocios,
con verse tan ricos, tan acompañados, tan temidos
y servidos, no es mucho que no sientan los traba-
15 jos cortesanos, pues apenas se acuerdan de quié-
nes son ellos mismos. El mucho tener, el mucho
valer y el mucho poder hace a los hombres no se
conoscer. Los que tienen mucho y pueden mucho
no es de maravillar que presuman mucho; mas
20 ¡ay dolor!, que ay algunos oficiales en las cortes
de los Príncipes que tienen un girón de privança
y por otra parte les arrastra por el suelo la locura.

A la hora que uno entra en casa del privado,

_____

13 *Con verse = viéndose.* "No deve el cortesano cometer el pecado con pensar que del Rey no será sabido."
Guevara, MENOSPRECIO, cap. XI. "Aunque es verdad que
con veros emendado tengo en poco el estar vos enojado."
Idem, *Letra para el comendador don Luis Bravo,* I, 31.

15 *Quienes.* Cuervo, en sus *Anotaciones a la Gramática
de Bello,* cita este paso como uno de los ejemplos más
antiguos del plural *quienes,* antietimológico y casi desco-
nocido hasta la segunda mitad del siglo XVI en adelante.

22 Les cuelga hasta arrastrar por el suelo; sigue la
metáfora del *girón.*

habla al privado y tiene mano con el privado, a
la hora se sueña él ser privado y aun se entona
como privado. Gran bien hacen los Príncipes en
no revelar sus secretos sino a pocos y no se mostrar familiares sino a pocos; porque de otra ma- 5
nera avría muchos que mandassen y muy pocos
que se quexassen. Para mí por creído tengo que
los familiares y muy allegados de los reyes ni sienten los trabajos ni aun se gozan de la privança;
porque están sus casas tan llenas de negociantes, 10
sus orejas tan llenas de mentiras, sus lenguas tan
ocupadas en respuestas y sus coraçones tan car-
gados de cuidados, que a la hora que son privados
los vemos andar atónitos. Tienen tantos con quien
cumplir, tantos a quien dar, tantos por quien ha- 15
zer y aun tantos a quien satisfazer, que sin comparación los vemos muchas más vezes quexarse que
regalarse. Manden los que mandan quanto quisieren y priven los que privan quanto mandaren, que
al fin ni el vino que hierve se puede bever, ni la 20
hazienda sin reposo se puede gozar. Los familiares
y favorescidos en las corten temen de condenarse
por pecadores y temen de caer por ser privados;
por manera que desde el punto que començaron
a ser privados andan siempre assombrados. Si los 25
privados no sienten los trabajos, mucho menos los
sienten los que son mancebos; porque los moços,
como andan embobescidos en los vicios, ni el dis-

---

2 *A la hora*, véase pág. 48, 28.
2 *Entonarse.* "Vos, hermano, idos a ser gobierno o
ínsulo y entonaos a vuestro gusto." *Quij.*, parte II, cap. V.
"Siempre, hermano, fuí amiga de la igualdad, y no puedo
ver entonos sin fundamento." Ibid.

favor les da pena ni aun sienten qué cosa es honra.
Déxenle a un mancebo en la corte acostarse a la
una, levantarse a las onze, reir con las damas,
comer en mesas diversas, jugar las fiestas, ruar
las tardes, enmascararse las noches y hablar con
alcahuetas, que en lo demás no se le da un maravedí porque el reino se rebuelva ni se vaya a perder la república.

CAPITULO XI

QUE EN LAS CORTES DE LOS PRÍNCIPES SON TENIDOS EN MUCHO LOS CORTESANOS RECOGIDOS Y MUY NOTADOS LOS DISSOLUTOS.

No deve el cortesano acompañarse por la corte ni llegarse en palacio a hombres vanos ni livianos; porque en la casa de los Príncipes y grandes señores qual fuere la compañía con que cada uno anda, en tal reputación ternán a su persona. De la mala compañía no se puede apegar al cortesano sino ser notado de liviano o avezarse a ser vicioso; porque por hombre de bien que sea, o ha de imitar lo que hazen o dissimular lo que vee. No deve el cortesano cometer el pecado con pensar que del rey no será sabido, porque en las cortes de los Príncipes, como ay ingenios tan delicados y hombres tan malignos, no sólo parlan en palacio lo que hazemos, mas aun adevinan lo que

---

17 *Parlar*. "Sus señorías se han cerrado en Alburquerque sin más parlar de nada." Cibdarreal, *Cantón epistolario*, epist. XXIX, edic. Rivad. Así lo usa el pueblo; el lenguaje culto parece desdeñarlo. "Parece que va tomando calor el parlatorío." *Diálogos*, de Gaspar Lucas Hidalgo, diálogo I, cap. I.

pensamos. Sea grande, sea pequeño, sea clérigo,
sea fraile, sea privado o sea abatido, que no ay
hombre en la corte que no le miren do entra, no
le aguarden de do sale, no le acechen por do va,
5 no le noten con quién trata, no espíen a quién
busca, no noten de quién se fía, no miren a quién
sirve y no sepan con quién se huelga. Creedme, señor cortesano, y no dudéis que; si mucho tiempo an-
dáis en la corte, que poder podrán los tejados y cor-
10 tinas a vuestra persona cubrir, mas no a vuestros
vicios encubrir. Mucho es de notar y mucho más
es de llorar, que en la corte y fuera de la corte
hazen ya todos los mortales las casas muy altas
y los aposentos muy apartados, no tanto para se-
15 guramente bivir, como para más secretamente pecar. No deve el cortesano alterarse ni escanda-
lizarse si no puede hablar al rey, si le negó la
audiencia el privado, si no proveyeron a su memorial, si no respondieron a su petición, si no le pa-
20 gan su tercio, si le motejó alguno en palacio o se
atravesó alguno con su amigo; porque el cortesano
que quiere la corte seguir y piensa en ella medrar,
ni ha de tener lengua para responder ni aun manos para se vengar. Quando uno va a la corte,
25 provéese de dineros, de, cavallos, de ropas, de leña,

---

9 *Poder podrán.* Demarcando el alcance de la significación del verbo, como si dijera: "en cuanto a poder, en
lo que toca a poder, podrán...", etc. "Aunque sepa una muger que a ella le va la vida, a su marido la honra, a sus
hijos la hazienda, a sus deudos la fama y a la República
la paz, poder podrá ella morir, mas no lo que se le dijo
guardar." Guevara, *Aviso de privados,* cap. XIX.
21 *Atravesarse* = ponerse mal con otro, encontrarse
con él siendo de opinión o genio contrario. *Dicc. de Autorid.*

de cebada, de posada y aun a las vezes de amiga,
y ninguno se provee de paciencia, como no sea
verdad que todas estas otras cosas las halla a
comprar y la paciencia a cada paso se la hazen
perder. El que en la corte no anda armado y aun 5
aforrado de paciencia más le valiera no salir de su
tierra, porque si el tal es brioso, sacudido o mal
suffrido, andarse ha por la corte corrido y bol-
verse a su casa affrentado. Las zoçobras, affrentas y sobresaltos que todos padescemos, en nin- 10
guna parte nos faltan, mas a los que moran en
la corte siempre les sobran; porque no ay día ni
hora en esta mísera vida, en la qual no haga alguna mudança fortuna. No desmaye ni se escan-
dalize el cortesano que esto oyere o leyere, pues 15
la fortuna sobre ninguno tiene señorío, sino sobre
el que ella toma descuydado; porque muchas más
son las cosas que nos espantan, que no las que nos
dañan. No deve el cortesano condescender a lo que
la sensualidad le pide, sino a lo que la razón le 20
persuade; porque la sensualidad quiere más de lo
que alcançamos y la razón conténtase aun con menos de lo que tenemos. Como en las cortes de los
Príncipes ay tantas mesas a do comer, tantos tahures a do jugar, tantos vagamundos con quien 25
ruar, tantos malsines con quien murmurar, tantos perdidos con quien andar y aun tantas damas
que resquestar, son muy loados los recogidos y
muy notados los dissolutos. No es otra cosa el
bueno en la corte sino un núcleo entre la cáscara, 30

17 *Tomar* = coger, sorprender, véase pág. 179, 5.
24 *Tahures a do...* Nótese en esta frase el valor de relativo del adverbio *do.*

una medula en el hueso, una brasa so la ceniza,
un razimo entre el orujo, una perla entre las con-
chas y una rosa entre las espinas.

Ni porque en la corte de los Príncipes ay apa-
5 rejo para todos los vicios no se sigue que han
de ser allí todos viciosos, porque en la corte más
que en otra parte es el virtuoso más estimado y
el vicioso más pregonado. No se fíe ni se confíe
el cortesano en pensar que puede mentir, pues
10 otros mienten; puede trafagar, pues otros tra-
fagan; puede jugar, pues otros juegan; puede
adulterar, pues otros adulteran, y puede malsinar,
pues otros malsinan; porque en la corte como son
todos astutos y resabidos, saben los vicios dissimu-
15 lar, más no los saben callar. No dexamos de confessar que en las cortes y casas de los señores muchos hombres mentirosos, trafagones, reboltosos,
codiciosos y viciosos han subido a tener mucho
y poder mucho, a los quales más se ha de tener
20 mancilla que no embidia; porque si atinaron a subir, es imposible que allí se puedan mucho tiempo sustentar. O quántos buenos ay en las cortes
de los Príncipes, pobres, desfavorescidos, arrinconados, abatidos y olvidados, y, aunque no por
25 cierto, deshonrados; porque en más estima se ha
de tener el que meresce la honra y no la tiene que
el que la tiene y no la meresce. Aviso y torno a
avisar que nadie desmaye ni dexe de ser en la

5   Es principio gramatical que dos negaciones afirman,
pero aquí no se cumple el principio.
10   *Trafagar* = "revolver y trocar unas cosas por otras."
Covarrubias, *Tesoro.*
20   *Mancilla* = lástima, véase pág. 69, 22.
25   *Por cierto* = por verdad, con verdad.

corte bueno y virtuoso, aunque vea a su émulo
rico y prosperado; porque ya puede ser que, cuando no se cantare y menos pensare, al otro arme
fortuna la zancadilla para caer y a él dé la mano
para subir. No deve el cortesano fácilmente rescebir servicios ni aun fácilmente hacer mercedes;
porque dar a quien no lo meresce es liviandad, y
rescebir de quien no deve es poquedad. El que
quiere hacer merced de alguna cosa ha de mirar
y tantear lo que da, porque es muy gran locura
dar uno lo que no puede dar o dar lo que ha menester. Es también necessario que conozca y aun
reconozca a la persona a quien lo da, porque dar
a quien no lo meresce es muy grande affrenta y
quitarlo a quien lo meresce es gran consciencia.
Es también necessario que mire mucho en el tiempo que lo da, porque el bien que se haze al amigo
no abasta que se funde sobre razón, sino que se
haga en el tiempo y sazón. Es también necessario
mire mucho el fin por que lo da; porque si da a
persona desacreditada o que en su bivir no es
muy honesta, desminuirá mucho de su hazienda y
mucho más de su honra.

Vno de los grandes desórdenes que ay en las
cortes de los Príncipes es que más dan al chocarrero porque dixo una gracia, al truhán por-

2   *Ya* = bien, véase pág. 40, 8.
15   *Consciencia* = cargo de conciencia. "De tiempo inmemorable acá jamás hemos oído ni visto la villa de Fuenterrabía ningún Rey de Francia la hubiese poseído, ni que Rey de Castilla se la hubiese dado; de manera que a ellos es conciencia tenerla y a nosotros es vergüenza no tomarla." Guevara, *Letra para el condestable don Iñigo de Velasco*, I, 2.

que dixo a la gala, a la gala, al bien hablante porque dize una lisonja, a una cortesana porque da
un favor y a un correo que trae una nueva, que
a un criado que sirve toda su vida. No condeno
5 sino antes lo alabo, que los señores partan con todos, socorran a todos y den a todos, pues tienen
para todos; mas también es justo que entre estos
todos también entren sus criados, porque los Príncipes y grandes señores son servidos, mas no son
10 amados por los salarios que dan, sino por las mercedes que hazen; quando los señores dan a los
extraños y no dan a los suyos, ténganse por dicho
que no sólo murmurarán de lo que les vieren dar,
mas aun los acussarán de lo que les vieren hazer;
15 porque no ay en el mundo tan cruel enemigo como
es el criado que anda descontento. Si el que haze
las mercedes es necessario que sea cuerdo, el que
las rescibe también es menester que no sea bovo;
porque nunca se paga la liberalidad, si no es a
20 trueque de la libertad.

En el rescebir de las mercedes más considera-
ción se ha de tener al que lo da que no a lo que

1 "*A la gala*, voz de invitación a cantar la gala de
alguno por sus victorias, por sus prendas sobresalientes,
por su merecimiento no común, etc; así como *al arma, al
arma*, es invitación a empuñar las armas para defenderse.
Gala es el aplauso, obsequio u honra que se hace a alguno
por su sobresaliente mérito en competencia de otros." *Diccionario de Autorid.* Y así se dice: llevarse la gala, cantar la gala. "Hermosura por hermosura, ya ves que la de
los templos se lleva la gala." Ant. Pérez Ceniza, fol. XIV.
"Le están cantando la gala porque sale victorioso." Francisco Aguado. *Crist.*, XVII, IV.
10 El sentido es: "son servidos por los salarios que
dan, mas no son amados por [ellos] sino por las mercedes que hacen".

se da; porque ya podría ser tal y de tal calidad el
que lo diesse que fuesse grande infamia tomarlo
y mucha honra dexarlo. El día que un cortesano
rescibe de otro cortesano una ropa o una joya
o se assienta a su mesa, desde aquel día queda 5
obligado a seguir su parcialidad, responder a su
causa, acompañar a su persona y aun tornar por
su honra; sería yo de parescer que, pues ya se
determina de entrar por puertas ajenas, sea de
tal manera, que ni el otro le sea ingrato, ni él 10
por seguirle le ande corrido. Vergüença he de de-
zirlo, mas no lo dexaré de dezir y es, que muchos
hijos de buenos que andan en la corte, con poca
vergüença y menos criança se van a entrar a comer, a jugar, y aun a murmurar en las casas a do 15
nunca sus padres entraron y con quienes nunca sus
passados se compadescieron, en lo qual offenden
a los muertos y escandalizan a los bivos. Si ellos
lo hiziessen con intención de atajar enojos o presciarse de cristianos, no era cosa de reprender sino 20
de infinito loar; mas házenlo ellos porque les dan
un sayo de seda, o una buena comida, o un cavallo
para la justa, o una joya para su amiga; de manera que como moços y muy moços abaten la auctoridad de su casa por interesse de una miseria. 25

---

5 *Assentar* = sentar. Es uno de los verbos compuestos, destronados hoy en el uso por su simple; pero el pueblo le otorga todavía la preeminencia.

9 *Entrar por puertas agenas*, como andar a puertas o
por puertas, es pedir limosna o favores.

16 *Quienes*, véase la pág. 110, 15.

25 *Interesse*. "Por interese de un real se comete un
perjurio." Beato Avila, epíst. XI. "Sin pedir interese."
Villalobos, *Declaración del Anfitrión*, cap. IX. "Perderá de

Ay otros mancebos en la corte que, si no son de
tan alta estofa, son a lo menos de buena parentela,
los quales tienen por officio de ruar todo el día
las calles, irse por las iglesias, entrar en los pa-
5 lacios, hablar con correos, visitar los prados y hablar con los extranjeros, y esto no para más de
irse a la hora del comer y del cenar a las mesas
de los señores a contar las nuevas y dezir chocarrerías; y si de la corte no tienen qué dezir, a
10 ellos nunca les falta en qué mentir. Ay otro género de mancebos, y aun de hombres barbados, los
quales ni tienen en la corte amo, ni llevan de palacio salario, sino que en viniendo allí algún ex-
tranjero, luego se le arriman como clavo al callo
15 diziendo que le quieren acompañar a palacio, mostrar el pueblo, darle a conoscer los señores, avi-
sarle de las cosas de corte y llevarle por la calle
de las damas, y como el que viene es un poco bisoño y el su adalid le trae abovado, al mejor tiem-
20 po le saca un día la seda, otro día la ropa, otro
día la librança, otro día la mula y aun otro día le
ayuda a desembarazar la bolsa. Ay otro género
de hombres o, por mejor dezir, de vagamundos
en la corte, los quales negocian con grande aucto-
25 ridad y no poca sagazidad en que éstos, después
que han a un señor visitado y algunas vezes acompañado, embíanle un paje con un memorial, diziendo que él es un pobre hidalgo, pariente de uno
del consejo, en fortuna muy desdichado, que se ha

su estado por salir con su interese." Fray Francisco Ortiz,
epíst. I.
    5 *Prados* = paseos públicos, sitios de recreo.
    18 *Damas* = mujeres públicas, véase pág. 40, 24.

visto en honra y que anda procurando un officio
y suplica a su señoría le embíe alguna ayuda de
costa. No son pocos los que biven en la corte desta
manera de chocarrería; ni aun biven con tanta
pobreza que no sustentan un paje, dos moços, un   5
cavallo, una mula y aun una amiga, los quales tienen hecho memorial de las mesas a do han de ir
a comer por orden cada día y de los señores que
han de pedir cada mes mes. Ay otra manera de
chocarreros en la corte los quales, después que les 10
han olido en los palacios, se van por los monesterios diziendo que son unos pobres pleyteantes extranjeros, y que por no lo hurtar, lo quieren más
allí pedir, y desta manera engañan allí a los porteros para que los den de comer, a los predicadores 15
que los encomienden a sus devotos y a los con-
fesores que los socorran con alguna restitución;
por manera que comen lo de los pobres en los monesterios y lo de los bovos en los palacios.

Ay otra manera de vagamundos y perdidos en 20
la corte, los quales no tratan en palacios, ni andan
por monesterios, sino por plazas, despensas, mesones y bodegones, y danse a acompañar al mayordomo, servir al botiller, ayudar al despensero,
aplazer al repostero y contestar al cozinero; de lo 25
qual se les sigue que de los derechos del uno, de

---

11 *Olido*, en el significado vulgar de conocerle a uno
las mañas, descubrirle la intención.
24 "*Botiller* = el que tiene a su cargo la botillería o
despensa. *Despensero* = el que tiene a su cuenta el gasto
de lo que se compra en las casas de los señores. *Repostero* = el que tiene cuydado de la plata y del servicio de
mesa y de hacer las bebidas y dulces." Covarrubias, *Tesoro.*

la ración del otro, de los relieves de la mesa y aun
de lo que se pone en el aparador, siempre tienen
qué comer y aun llevan so el sobaco qué cenar. Ay
otro género de perdidos en la corte, los quales de
5 quatro en quatro o de, tres en tres andan herma-
nados, acompañados o engavillados, y la orden que
tienen para se mantener es, que entre día se derraman por los palacios, por los mesones, por las
tiendas y aun por las iglesias; y si por malos de
10 sus pecados se descuyda alguno de la capa o de la
gorra o de la espada y aun de la bolsa que trae
en la faltriquera, en haziendo así †, ni hallará lo
que perdió, ni topará con quien lo llevó. Ay otros
géneros de perdidos en la corte, los quales ni
15 tienen amo ni salario, ni saben officio, sino que
están allegados, por mejor dezir, arrufianados con
una cortesana, la qual, porque le procura una posada y la acompaña quando la corte se muda, le
da ella a él quanto gana de día labrando y de no-
20 che pecando. Ay otro género de hombres perdidos
en la corte que son los tahures, los quales mantie-

1　"*Relieves* =: sobras que se levantan de la mesa."
Dicc. de Autorid. "El pobre y llagado Lázaro, que deseaba
las migajas que caían de sus relieves." Fray Francisco
Ortiz, epíst. V.

6　*Engavillados* = unidos en gavilla o pandilla. Una
gavilla de chicos, se dice todavía en la montaña de Burgos.
"El Rey recebira mucho desplacer de Vm. si se agavilla con
esos compañeros." Cibdarreal, *Centón epistolario,* epíst. X.

9　*Por malos de sus pecados* = por su mala suerte. "Es
previlegio de galera que si alguno en la tierra es deudor,
acuchilladizo..., no pueda ninguna justicia entrar allí a
le buscar, ni aun el ofendido le pueda ir allí a acusar, y
si por malos de sus pecados entra, o le echarán al remo
o le darán un trato." Guevara, *De los inventores del marear,* cap. VII.

nen sus cavallos y criados y atavíos de sólo jugar,
trafagar y engañar a muchos bovos con dados fal-
sos, con naypes señalados, con compañeros sospechosos y aun con partidos nescios; por manera que
muchos pierden con ellos sus haziendas y ellos 5
pierden sus ánimas con todos. Ay otro género de
gente perdida en la corte, no de hombres sino de
mugeres, las quales como passó ya su agosto y vendimias, y están ellas de muy añejas acedas, sirven
de ser coberteras y capas de pecadores, es a saber, 10
que engañan a las sobrinas, sobornan a las nueras,
persuaden a las vezinas, importunan a las cuña-
das, venden a las hijas y si no, crian a su propósito algunas moçuelas; de lo qual suele resultar lo
que no sin lágrimas osso dezir, y es, que a las vezes 15
ay en sus casas más barato de moças que en la plaza de lampreas. He aquí, pues, las compañías de la
corte, he aquí los sanctuarios de la corte, he aquí
las religiones de la corte, he aquí los cofrades de
la corte, y he aquí en quánta ventura y desventura 20
bive el que bive en la corte; porque en realidad de
verdad el triste del cortesano que no se da a negocios no puede allí medrar; y si se da a ellos no
escapa de pecar; por manera que a costa del alma
ha de mejorar su hazienda. Sea, pues, la conclu- 25
sión, que vaya quien quisiere en la corte, resida
quien quisiere en la corte, y triunfe quien quisiere de la corte, que yo para mí, acordándome
que soy cristiano y que tengo de dar cuenta del
tiempo perdido, más quiero fuera de la corte arar 30

9 *Acedo* = agrio. Sobre el valor causal de la preposición *de*, véase pág. 36, 22.
16 *Barato* = mercado.

y salvarme que en la corte medrar y condenar-
me. No niego que en las cortes de los Príncipes
no se salvan muchos ni niego que fuera dellas no
se condenan muchos; mas para mí tengo creído
5 que, como allí están tan a mano los vicios, que andan allí muy grandes viciosos.

---

3 Si una negación niega y dos afirman, tres debieran
negar; pero no es así en esta frase de Guevara, que es
afirmativa si ha de ser verdadera. El segundo *no* es expletivo.

CAPITULO XII

Byas el filósofo, varón que fué muy nombrado
entre los griegos, muchas vezes dezía a la mesa 5
del magno Alexandro: *"Quilibet in suo proprio
negotio haebetior est quam in alieno."* Como si más
claramente dixesse: Naturalmente es el hombre
agudo en dar parescer a otros y boto e inhábil en
lo que le toca a él. Grave por cierto sentencia es 10
ésta, digna del que la dixo y muy digna de quien
se dixo; porque si ay mil que aciertan en cosas
agenas, ay diez mil que yerran en las propias. Ay
hombres en este mundo que para dar un sano consejo y para ordenar un remedio de presto, tienen 15

4 "Bias, prienense fué, y en tiempo del Rey Aliates,
como dice Laercio, y Aliates floresció en Lidia en tiempo
de Rómulo, cuatrocientos años y más antes que Alejandro."
P. de Rhua, carta III.
9 *Boto* significa embotado, sin filo. "El cortesano que
sufre abrocharse con agujeta sin clavo... y corta a la mesa
con cuchillo boto, digo que el tal es hombre de baxo suelo
u de torpe ingenio." Guevara, *Despertador de cortesanos*,
c. VIII.
15 *De presto* = improvisado, repentino; así lo usa todavía el pueblo.

paresceres heroicos e ingenios muy delicados, los
quales, sacados de negocios agenos y traídos a negocios suyos, es lástima ver lo que dizen y es vergüença lo que hacen; porque ni tienen cordura
5 para governar sus casas, ni aun prudencia para
encubrir sus miserias. Cayo César, Octavio Augusto, Marco Antonio, Septimio Severo y el buen Marco Aurelio, todos estos y otros infinitos con ellos
fueron Príncipes muy ilustres, así en las hazañas
10 que hizieron como en las repúblicas que gover-
naron; mas junto con esto fueron tan desdichados
en la policía de sus casas y en la pudicia de sus
mugeres e hijas, que bivieron muy lastimados y
murieron muy infamados. Ay hombres en esta
15 vida muy hábiles para mandar y muy inhábiles
para ser mandados, y por el contrario, ay otros
que son buenos para ser mandados y no valen cosa
para mandar; quiero por esto dezir que hay personas, las quales tienen don de Dios para gover-
20 nar una república y por otra parte, si pesquisan
la manera que tienen en su casa y familia, hallarán que es una pérdida y que como a hombres in-
capaces les habían de dar tutores. Plutarco dize
que el muy famoso capitán Nicias nunca erró cosa
25 que hiziesse por consejo ageno ni acertó cosa que

---

12 *Policía* = cuidado, orden, gobierno. "Arrojaron y
tendieron sin concierto ni policía alguna de los diversos
géneros de frutas." *Persiles y Sigismunda*, c. IV.

12 *Pudicia;* otras ediciones, como la de 1673, Madrid,
ponen *pudicicia*, latinismo que significa pudor, recato, y
sin duda es así.

20-21 *Pesquisan... hallarán...* La tercera persona de
plural, sin sujeto expreso, tiene significación indetermina-
da = *se pesquisa... se hallará...*

emprendiesse por su parescer propio. Si a Byarcas el filósofo creemos, muy mayor daño se le sigue a un hombre valeroso enamorarse de su propio parescer que no de una muger; porque el enamorado no puede errar más de, para sola su persona, mas 5 el porfiado yerra en daño de toda la república. Todo lo sobredicho dezimos para amonestar y persuadir a los cortesanos que biven en la corte, que siempre hablen, traten y conversen allí con personas graves, doctas y experimentadas; porque la 10 gravedad amuestra a bivir, la sciencia de lo que se han de guardar y la experiencia de lo que han de hazer. Por sabio, agudo, experto, rico y privado que sea uno en la corte, tiene necessidad de padre que le aconseje, de hermano que le encami- 15 ne, de adalid que le guíe, de amigo que le avise, de, maestro que le enseñe y aun de preceptor que le castigue; porque son tantas las barbullas, tráfagos y mentiras de la corte que es imposible poderlas un hombre solo entender, quanto más re- 20 sistir y remediar. En las cortes de, los príncipes no ay camino más derecho para un hombre se perder que es por su solo parescer quererse governar; porque la, corte es un sueño que echa modo-

---

1 La edición de 1673 dice Hyarcas, de quien hemos oído ya en la pág. 28, 2.

11 *Amostrar* = mostrar, en significación de *enseñar*. "E mostró bien que le había mostrado bien el bohemio el cabalgar a la brida." Cibdarreal, epíst. XVI. "Un poco paresce a la ordenanza que ficieron los pedreros de Toledo de no amostrar su oficio a confeso ninguno." Fernández del Pulgar, letra XXXI. En las dos oraciones siguientes se sobrentiende el mismo verbo: "la sciencia amuestra de lo que...", etc.

18 *"Barbullas*, confusiones." *Dicc. de Autorid.*

rra, es un piélago que no tiene suelo, es una sombra que no tiene tomo, es una fantasma que está encantada y aun es un labirinto que no tiene salida, porque todos los que allí entran, o quedan
5 allí perdidos o salen de allá assombrados. La cosa más necessaria de que el cortesano tiene necessidad, es tener en la corte un fiel y verdadero amigo, no para que le lisonjee, sino para que le reprenda, es a saber, si se recoge tarde, si va tarde
10 a palacio, si anda limpio, si es bien criado, si es boquirroto, si es dissoluto, si es mentiroso, si es tahur, si es goloso o si es deshonesto enamorado; porque por cualquiera destos vicios anda en la corte no sólo affrentado más aún infamado. O quán
15 contrario es lo que escrive mi pluma a lo que en la corte passa; porque no vemos otra cosa, sino que se juntan dos o tres o quatro livianos, los quales hazen sus monipodios, sus confederaciones y juramentos de comer juntos, de andar juntos, posar
20 juntos, hurtar juntos y aun se acuchillar juntos; por manera que sus amistades no son para se corregir sino para se encubrir. Deve, pues, el cortesano tener en la corte algunos amigos cuerdos, entre los quales ha de eligir uno que sea el más

---

2 *Tomo* = cuerpo, bulto. "Es de tanto peso y tomo la razón que hay para que la criatura obedezca a su Criador..." Fray Francisco Ortiz, *Epíst. fam.*, II.

3 *Labirinto*, forma asimilada; véase pág. 52, 3.

11 *Boquirroto*, que se va de la lengua.

18 "E decía el pregón que [a Fernán Osorio e a Lope de Montemolín los había descuartizado] por haber tomado de suyo capitán, e querido alzarse con la torre de Triana, e matar e robar a los mercadores de Sevilla, e al escribano, porque ante él se facían estos monipodios e contratos." Cibdarreal, epíst. LXII.

cuerdo y virtuoso, con el qual ha de tener tan estrecha amistad que pueda sin rezelo descubrirle todo su coraçón y que el otro sin ningún temor le ponga en razón, por manera que tenga a los otros amigos para conversar y a aquél sólo para descan- 5 sar. A los hombres que son bulliciosos, entremetidos, apassionados, bandoleros, vagamundos y noveleros, guárdese el cortesano de tomarlos por amigos, porque los tales no vienen a dezir, sino que el rey no paga, el consejo se descuyda, los priva- 10 dos triunfan, los oficiales roban, los alguaciles cohechan, el reyno se pierde, los servicios no se agradescen ni que los buenos se conoscen; con estas y con otras semejantes cosas, hazen al pobre cortesano que desmaye en el servir y crezca en el 15 murmurar. No deve el cortesano dexar de enmendar la vida con esperança que ha mucho de bivir, porque los viejos más se ocupan en buscar nuevos regalos, que en llorar pecados antiguos. Muchos en la corte dizen que se han de enmendar a la vejez, 20 algunos de los quales mueren sin averse jamás enmendado; y todo el daño desto consiste en que a todos oyo dezir "haremos" y a ninguno veo dezir "hagamos". Qué cosa es oyr un viejo en la corte los reyes que ha alcançado, los privados que se han 25

7 *Bandoleros* = banderizos, armadores de bandos.

23 *Oyo* = oigo; es forma rigurosamente etimológica, pues *d*, mas *iod* da *y* en castellano, v. gr., *radiu*, rayo; *podiu*, podio.

24 *Un viejo*... puede ser complemento directo del verbo *oyr* y sujeto de todos los verbos siguientes. Tomado como complemento debiera llevar preposición, y sólo por influencia o contaminación de su oficio de sujeto de los demás verbos dejó de ponérsela Guevara.

perdido, los grandes que se han muerto, los estados que se han acabado, los oficiales que se han
mudado, los infortunios que ha visto, las guerras
que han passado, los émulos que ha sufrido y aun
5 los amores que ha tenido; y con todo esto que ha
visto, y mucho más que por él ha passado, tan verde se está en el pecar y tan codicioso de allegar,
como si nunca uviesse de morir y començasse entonces a servir. Que un hombre espenda en la cor-
10 te su puericia, que es hasta los quinze años, y su
juventud, que es hasta los veinticinco, y su viri-
lidad, que es hasta los quarenta, y su senectud, que
es hasta los sesenta, no es de maravillar, por entretener su casa y aumentar su honra; mas el viejo
15 que está dende en adelante en la corte no sirve
ya de más de para él se infernar y dar a todos
que murmurar.

No deve el cortesano quexarse de ninguna cosa
hasta ver si tiene razón o no de quexarse della;
20 porque muchas vezes nos quexamos de algunas cosas en esta vida, las quales se quexarían de nosotros si ellas tuviessen lengua. A la hora que el
cortesano se ve en el valer baxo, en el tener pobre,
en el favor olvidado, en el coraçón triste y en lo
25 que negociara burlado, luego maldize su ventura
y se quexa de averle burlado fortuna; lo qual no
es por cierto assí, porque a todos los que fortuna
acozea y tropella, no es porque ella a sus casas los

---

9 *Espender*, latinismo, gastar.
15 *Dende* = de allí, véase pág. 52, 6. Son las redun-
dancias medio latinas de-inde, ad-in-ante.
28 *Tropellar*, por atropellar, como congoxar por acon-
gojar, etcétera; fenómeno inverso al de abastar, alimpiar,
atapar, etc. Véase pág. 17, 9.

fué a llamar, sino porque ellos a la corte la fueron
a buscar. En entrando uno en la corte piensa ser
uno de los más honrados, uno de los más ricos,
uno de los más estimados y aun uno de los más
privados, y como después se ve pobre, abatido, ol- 5
vidado y desfavorecido, dize que es un desdichado
y que está perdido el mundo, como sea verdad, que
la culpa no la tiene el mundo, sino él, porque es
un muy gran loco. Digo y torno a dezir que no
está su daño en ser él desdichado, ni en estar per- 10
dido el mundo sino en ser él muy notable loco,
pues quiso dexar el reposo de su casa para fiarse
de los sobresaltos y vayvenes que da fortuna. El
hombre que bive en la corte no tiene licencia de
quexarse de la corte; porque, si tú te veniste, ¿de 15
quién te quexas?; si otro te truxo, quéxate dél; si
quieres perseverar, dissimula; si quieres medrar,
esfuérçate; si te agrada, calla; y si no te hallas,
vete; porque el gran descontento que trae no consiste en la corte do bives sino en el coraçón ambi- 20
cioso que tienes.

No ay en el mundo igual inocencia con pensar
uno que en la corte, y no en otra parte, está el
contentamiento, como sea verdad que allí anden
todos alterados, aborridos, gastados, despechados 25
y aun affrentados; porque de doze horas que ay

---

22   El adjetivo igual lleva las preposiciones a o con
cuando establece relación entre substantivos; cuando la
establece con un verbo, usamos nosotros del adverbio com-
parativo "como". Guevara conserva la preposición con aun
en este caso. "No hay igual locura con emplear mal la
salud, ni hay igual cordura con sacar algún fruto de la
enfermedad." Guevara, Epístolas fam., Letra para el duque de Alba don Fadrique de Toledo, I, 22.

en el día, si por caso ríe con los amigos las dos,
sospira a solas las diez. Teneos por dicho, señor
cortesano, que por más rico, favorido, estimado
y privado que seas en la corte, que si os susceden
5 dos cosas como queréis, se han de hazer diez al
revés. Va uno a la corte, el qual tiene que negociar con el Rey, con el privado, con el Consejo, con
contadores o con los alcaldes, y si despacha su negocio, no pudo despachar el del hermano, el del
10 cuñado, el del suegro o el del amigo; por manera
que siente más affrenta por lo que le negaron que
alegría por lo que le dieron. La mayor señal para
ver que nadie bive en la corte contento es que estando dentro de la corte y andando por la corte,
15 y tratando negocios de corte, se preguntan unos a
otros qué nuevas ay en la corte, de lo qual se ar-
guye que el que pregunta en la corte por nuevas,
dessea ver allí novedades.

Uno de los famosos trabajos de la corte es que
20 como allí ninguno bive contento con su fortuna,
todos dessean ver mudança en la fortuna, porque
de aquella manera piensan los pobres de enriques-
cer y los ricos de más mandar. O quántos ay en las
cortes de los príncipes, los quales se están allí en-

---

1 *Si por caso* = si acaeciere. "¡Quién creyera que esta
veladora tome una piedra en la mano para que si por caso
se durmiere, al caer de la piedra despierte." Granada,
Símbolo de la fe, I, 16. "La mesma mesura que le hacían
les hacía, y si por caso entraban sus hijos en el senado,
ni consentía a los senadores que se levantasen ni a los hijos
que se asentasen." Guevara, *Letra para don Alonso de
Albornoz*, I, 8.
3 *Favorido*. "Porque en verte bien quisto y favorido
de tan gran Rey." Villal., *Declaración del Antitrión*, capítulo IX.

vejeciendo, deshaziendo, sospirando y esperando
quándo más quándo el Rey le conoscerá, el privado se morirá, la fortuna se mudará y él se mejo-
rará, y acontéscele después al tal que al tiempo de
embocar la bola y echar el ancle en tierra le salteó   5
la muerte, que no esperava, sin ver la fortuna que
desseava. O quántos ay también en las cortes de
los Príncipes, los quales vieron morir a los que
desseavan ver muertos, y como fueron tales sus
hados a que no sólo no sucedieron en aquellos offi-   10
cios, sino que los dieron a otros sus contrarios y
que los tratan peor que los otros, lloran a los que
murieron y lloran a los que sucedieron.

---

2   *Quándo más quándo* = en qué hora precisa; superlativo por repetición, como agora más agora, al fin al fin,
luego luego; véase la pág. 97, 9.

5   *"Embocar*. En los juegos de trucos, argolla y otros
semejantes, vale pasar la bola por las troneras o por el
arco o entrar la pieza con que se juega en el sitio destina-
do." *Dicc. de Autorid.* "Muchas veces acontece al cortesano
que tiene algún negocio honroso y provechoso a punto para
se acabar y después, cuando no se cata, al tiempo de embocar la bola, le tuerce al revés la sortija fortuna." Guevara, *Aviso de privados*, cap. XVI.

CAPITULO XIII

DE QUÁN POQUITOS SON LOS BUENOS QUE AY EN LAS CORTES Y EN LAS GRANDES REPÚBLICAS

Plutarco, en el libro *De exilio,* cuenta del gran Rey Tolomeo que, estando con él comiendo siete [5] embaxadores de siete reinos en Antioquía, se movió plática entre él y ellos y ellos y él sobre quál de sus repúblicas era la que tenía mejores costumbres y se governava con mejores leyes. Los embaxadores que allí estavan eran de los romanos, de [10] los cartagineses, de los sículos, de los rodos, de los atenienses, de los lacedemones, y de los siciomios, entre los quales fué la quistión delante del Rey Tolomeo muy altercada, muy disputada y aun muy porfiada, porque cada uno alegava su razón [15] en defensión de su opinión. El buen Rey Tolomeo, queriendo saber la verdad y con brevedad, mandó que cada embaxador diesse por escrito tres condi-

---

9 "Ninguna cosa de éstas se hallará en Plutarco, en el libro *De exilio,* ni en tiempo de Tolomeo había ya reino de sicionios, que acabó en Ceusippo ochocientos años antes de Alejandro." P. de Rhua, carta III.

13 *Quistión;* forma asimilada, como complisión, etc., véase pág. 52, 3.

ciones, o tres costumbres, o tres leyes, las mejores que uviese en su reyno, y por allí verían qué tierra era la mejor governada y que merescía ser más loada. El embaxador de los romanos dixo:
5 "En la república romana son los templos muy acatados, los governadores muy abedescidos y los malos muy castigados." El embaxador de los cartagineses dixo: "En la república de Cartago, los nobles no dexan de pelear, los plebeyos no paran de
10 trabajar y los filósofos no dexan de doctrinar." El embaxador de los sículos dixo: "En la república de los sículos házese justicia, trátase verdad y préscianse de igualdad." El embaxador de los rodos dixo: "En la república de los rodos son los
15 viejos muy honestos, los moços muy vergonçosos y las mujeres muy calladas." El embaxador de los atenienses dixo: "En la república de Atenas no consienten que los ricos sean parciales, ni los plebeyos estén ociosos, ni los que goviernan sean nes-
20 cios." El embaxador de los lacedemonios dixo: "En la república de Lacedemonia no reyna embidia porque son todos iguales, no reyna avariacia porque todo es común, no reyna ociosidad porque todos trabajan." El embaxador de los siciomios dixo:
25 "En la república de los siciomios no admiten peregrinos que inventen cosas nuevas, ni médicos que maten a los sanos, ni oradores que defiendan los pleytos." Como el rey Tolomeo y los que con él

---

28 *Como* = cuando. "Y como Sancho vió a la novia, dijo." *Quij.*, parte II, cap. XXI. "Como viene uno de nuenuevo a la Corte, luego le encandila, le regala y le acaricia alguna cortesana taimada." Guevara, MENOSPRECIO, capítulo XIV.

estavan oyeron las leyes y costumbres que aquellos embaxadores relataron aver en sus reynos y
repúblicas, todas las aprobaron y todas las ala-
baron, jurando y perjurando que eran todas tan
buenas que no ossarían determinarse quáles dellas 5
eran mejores. Historia es ésta y antigüedad es
ésta digna por cierto de notar y mucho más de la
imitar; aunque es verdad que si agora se juntas-
sen otros tantos embaxadores como fueron aqué-
llos y se pussiesen a disputar y relatar las condi- 10
ciones y costumbres de nuestras repúblicas, soy
cierto que ellos hallarían más vicios que reprender que virtudes que loar. Antiguamente, como las
casas reales estavan tan corregidas, los Príncipes
eran tan justos, los mayores tan comedidos, los 15
que governavan tan sabios, castigávanse mucho
las culpas pequeñas, y con esto no ossavan come-
terse otras mayores; porque el bien del castigo es
que, si no lastima a más de uno, atemoriza también a muchos. 20

No es assí en nuestras cortes y repúblicas, en
las quales ay ya tanto número de malos, se cometen tan atrozes delitos, que lo que castigavan los
antiguos por mortal, dissimulan en este tiempo
por venial. En la corte, qualquiera que quiere ga- 25
nar de comer a ser truhán o loco o chocarrero, no
sólo no es por ello reprehendido ni castigado, mas
aun es de muchos socorrido y de todos favoresci-
do. En la corte, una doncella, o una biuda, o una
descasada, o una mal casada que quiera ser ra- 30
mera o cantonera, no avrá uno que la reprehenda

31 *Cantonera y ramera* son sinónimos, aunque tengan
distinto origen. Cantonera es la que anda de esquina en

de su mal bivir y avrá ciento que la vayan a requestar. En la corte, cuando quiere y con quien
quiere se anda uno amancebado, sino es el que no
tiene edad para la gozar o hacienda para la sus-
5 tentar. En la corte, si no trae uno armas que le
tomen, o no haze travessuras por que le prenden,
o no tiene deudas por que le emplazen, por malo,
traviesso, perdido y vagabundo que sea, no avrá
hombre que le pida cuenta de su vida ni aun le
10 diga una mala plabra. En las cortes y grandes
repúblicas es tan pequeño el número de los buenos y es tan grande el número de los malos, que
fácilmente cabrían los unos en media plana y no
cabrían los otros en una rezma. Si en la corte co-
15 mençássemos a contar los buenos muy buenos, de
que llegássemos a diez, pienso que pararíamos, y
si contássemos a los malos muy malos, pienso que
de ciento passaríamos. El que en las repúblicas
de nuestros tiempos es bueno, en más se ha de te-
20 ner que a ningún cónsul romano; porque en los

---

esquina provocando a pecar. "Las mugeres cantoneras es
razón que no estén mezcladas con las buenas, y es mejor
que se les disputen tres o cuatro callejuelas donde estén
que no todas en una juntas..." *Epistolario* del Beato Avila, epíst. XI.

6 Todas las ediciones, sino la *princeps*, ponen *le prendan* del verbo prender; mas puede aprobarse la lección que
aquí damos conforme a la edición de 1539, por lo que del
verbo *prendar* dijimos en la página 33, 18.

15 *De que* = cuando. "De que se vinieron los Numan-
tinos tan infamemente cercados, y que ya no tenían ningunos bastimentos, juntáronse los hombres más esforza-
dos..." Guevara, *Letra para don Alonso Manrique, arzo-
bispo de Sevilla;* véase pág. 6, 9.

tiempos passados teníase a gran desdicha topar
con un malo entre cien buenos, y agora es gran
dicha topar un bueno entre cien malos. Loa mucho la escritura divina a Abraham porque fué bueno en Caldea, a Loth en Sodoma, a Jacob en Me- 5
sopotamia, a Moysés en Egypto, a Daniel en Ba-
bylonia, a Thobías en Nínive, a Neemías en Da-
masco. Por esto que he dicho quiero dezir, que en
el calendario destos tan ilustres varones deven ser
registrados todos los cortesanos buenos, pues al 10
bien no ay quien los anime y del mal no hay quien
los retraiga.

Ay en las cortes de los Príncipes tantos vagamundos, furiosos, desalmados, blasfemos, trampo-
sos y mentirosos, que no nos escandalizamos ya de 15
ver tantos malos, sino que nos maravillamos topar con algunos buenos. No tiene ya el mundo en
sus rosales sino espinas, en sus árboles sino hojas, en sus viñas sino rampojos, en sus bodegas
sino hezes, en sus fraguas sino cisco, en sus gra- 20
neros sino paja y en sus tesoros sino escoria. O
siglos dorados, o siglos desseados, o siglos passados, la diferencia que de vosotros a nosotros va
es, que antes de nosotros veníase el mundo per-
diendo, mas agora en nuestros tiempos está ya del 25
todo perdido. En ti, o mundo, cada uno dize lo que
quiere, inventa lo que quiere, toma lo que quiere,
emprende lo que quiere, haze lo que quiere y, lo
que es peor de todo, bive como quiere y se sale
con lo que quiere. Poco ay ya en ti, o mundo, que 30
conservar, poco que deffender, poco que gozar y
muy poquito que guardar, y por otra parte ay en

ti mucho que dessear, mucho que enmendar y aun
mucho que llorar. Gozaron nuestros passados del
siglo férreo y quedó para nosotros míseros el siglo lúteo, al qual justamente llamamos lúteo, pues
5 nos tiene a todos puestos del lodo.

CAPITULO XIV

DE MUCHOS TRABAJOS QUE AY EN LAS CORTES DE LOS REYES Y QUE AY MUCHOS ALDEANOS MEJORES QUE CORTESANOS.

El poeta Homero escrivió los trabajos de Uly- 5
ses el griego; Quinto Curcio, los de Alexandro con
Darío; Moisés, los de José en Egypto; Samuel, los
de David con Saúl; Tito Livio, los de Roma con
Cartago; Tucídides, los de Jasón con el Minotauro, y Crispo Salustio, los de Sofonisa con Yugur- 10
ta. Queriendo, pues, inmitar a estos tan ilustres
varones, emprenderemos de escrevir los ingratos
trabajos que passan los cortesanos en estos nuestros tiempos, los quales tienen paciencia para los

---

7 "Yo no sé cómo pudo Samuel escrebir los hechos de
David, cómo haya muerto antes que Saúl muriese y David reinase según paresce por el cap. XXV del primero
de los Reyes." "Tucídides sólo escribió la guerra que los
atenienses tuvieron con los pueblos del Peloponeso, mas no
los de Jasón, según paresce por sus historias." "No escribió Salustio las cosas de Sofonisba con Yugurta: escribió la guerra de Yugurta con los capitanes romanos sobre las muertes de los hijos de Micipsa y su prisión, mas
de Sofonisba no escribió en el Yugurtino, ni en las historias perdidas lo pudo escribir, pues no fueron en un tiempo Sofonisba y Yugurta." P. de Rhua, carta III.

suffrir y no cordura para lo dexar. No por descuy-
do llamamos a los cortesanos trabajos trabajos ingratos, pues vemos a los más dellos tantas cosas pa-
descer, sin ningún fruto dellas sacar; y lo que peor
5 de todo es, que están todos quedos quando los cargan y tiran cozes si los descargan. No es pequeña
empressa la que quiere tomar nuestra pluma en
dezir que el cortesano passa mala vida; porque
andar uno en la corte no se tiene por errado, sino
10 por bienaventurado. Piensa el cortesano que todos los que biven fuera de la corte son nescios y
él sabio, son rudos y él agudo, son apocados y él
honrado, son torpes y él polido, son cortos y él
bien hablado, son locos y él cuerdo. Nunca Dios
15 tal quiera ni nunca Dios tal mande, que a ser verdad que en las cortes de los Príncipes residían todos los sabios y cuerdos, gran locura era no nos
tornar nosotros cortesanos, porque no ay años tan
bien empleados como los que se gozan con hombres
20 discretos. O quántos discretos aran en los campos y quántos nescios andan en los palacios. O
quántos hombres de juizios delicados y de sesos
reposados biven en las aldeas, y quántos cortesanos rudos de ingenio y huecos de seso residen en
25 la corte. O quántos en las cortes de los Príncipes
tienen officios muy preeminentes, a los quales en
una aldea de cien vezinos no los hicieran alcaldes.
O quántos salen de las cortes hechos corregidores,
a los quales no hicieron los labradores aún regi-
30 dores. O quántos se assientan en Palacio a dar

---

1 *Lo*, con valor indeterminado, haciendo lo mismo a
singular que a plural; véase pág. 90, 29.

consejo, los quales en el aldea no ternían voto en
Concejo. O quántas buenas razones se dizen entre
labradores dignas de notar y quántas se dizen delante de los Reyes dignas de mofar. O quántas
personas inhábiles ay en las cortes mejoradas y 5
quántas habilidades ay por las aldeas por no se
emplear mohosas. O quántos en las cortes de los
Príncipes valen y prevalescen, no porque tienen
habilidad, sino porque les sobra auctoridad, y quántos y quántos se quedan en las aldeas olvidados y 10
arrinconados, más por falta de auctoridad que no
por mengua de habilidad. Los Príncipes dan los
favores, los privados los officios, naturaleza la
buena sangre, los padres el patrimonio, la honra
el merescimiento y la fama la fortuna; mas el ser 15
sabio, cuerdo, agudo y reposado son habilidades
que no pueden los Príncipes repartir, sino que sólo
Dios las ha de dar. Si en mano del Príncipe estuviesse el repartir las habilidades como está el
poder hazer otras mercedes, a buen seguro pode- 20
mos jurar que tomasse para sí más seso, más cordura, más prudencia, más sciencia y aun más paciencia; porque los Príncipes, si se pierden, es por
lo mucho que tienen y por lo poco que saben. Mucho me cae a mí en gracia en que si uno ha estado 25
en la corte y agora bive en la villa o en el aldea,
llama a todos patacos, moñacos toscos, groseros y
mal criados, motejándolos de muy desaliñados en
el vestir y de muy grosseros en el hablar. Si por
caso miramos lo que él haze y la criança que de la 30

---

27 *"Patacos* = patanes." *Dicc. de Autorid. Moñacos* =
muñecos desgarbados.

corte, trae, es acostarse a media noche, levantarse
a las onze, vestirse muy despacio, calçarse muy
justo, atacarse muy estirado, peynarse a menudo
el cabello, traer de tema la gorra, hablar de la
5 amiga que en la corte tenía, asirse de la barba
quando habla, contar mil mentiras de la guerra,
pedir prestados dineros al cura, requebrarse con
alguna casadilla y andarse con una varilla todo el
día por el aldea. No pára aún en esto su locura y
10 liviandad, sino que estando los labradores al sol
el domingo, comiénçales a contar de cómo se halló
en la del Garillano con el Gran Capitán, en la de
Rávena con don Remón, en la de Pavía con el
señor Antonio, en la de Túnez con César y en la
15 de Corrón con el príncipe Doria, y si a mano viene, en todos aquellos tiempos se estava él en el

---

2 *Calçarse muy justo* es ajustarse las calzas o medias;
véase la pág. 74, 16. "*Atacarse* es atarse los calzones al
jubón con las agujetas." *Dicc. de Autorid.*
4 *Traer de tema* = traer como apuesta. Tema es porfía, obstinación. "E a mi da la cura de narrar a Vm. las
fiestas que muy cumplidamente han hecho los Reyes e el
Infante e otros personajes, en tema unos de otros, desde
el Rey abajo." Cibdarreal, epíst. XVI. "De nuevo se admi-
raron padre y hijo de las entremetidas razones de don
Quijote... y del tema y tesón que llevaba de acudir de todo
en todo a la busca de su desventuradas aventuras." *Quijote*, II, 18.
12 Año de 1503.
13 Don Ramón de Cardona, virrey de Nápoles, al frente de las fuerzas italianas y españolas en la batalla de
Rávena, 11 de abril de 1512.
14 Antonio de Leiva, defensor de la Plaza de Pavía,
año 1525.
15 Año 1527.
16 Año 1532. Nótese la forma elíptica, como cuando
decimos hoy: *la de San Quintín, la de Dios es Cristo.*

Zocodover de Toledo o en el Potro de Córdova, no
capitán en la guerra, sino rufián en la ramería.
Hemos querido dezir esto para avisar a los cortesanos a que no curen de mofar y motejar a los
aldeanos, diziéndoles que son nescios y mal cria- 5
dos; porque si mi amo y señor César mandasse
desterrar de la corte a todos los nescio, imagino
que no quedasse hecha aldea aun de cien vezinos.
Prosiguiendo, pues, nuestro intento, dezimos que
muy tarde conoscen los cortesanos la vida que pas- 10
san y la professión que en la corte hazen, porque
su estado es muy costoso y su professión de muy
gran trabajo. Por la profesión que hazen conos-
ceremos la religión estrecha que tienen, pues prometen al demonio de no le desagradar, a la corte 15
de la contentar y al mundo de le seguir. Prometen de andar siempre por la corte abovados, ton-
tos, amodorriados, sospechosos y aun pensativos.
Prometen de siempre trafagar, negociar, impor-
tunar, pedir, comprar, vender, trocár, llorar y pe- 20
car y aun nunca se enmendar. Prometen de andar
hambrientos, rotos, descalços, apocados, abatidos,
corridos, lastimados y aun empeñados. Prometen
de suffrir desacatos de alguaziles, hurtos de vezinos, descuydos de criados, rencillas de huéspedes, 25

1 El Zocodover de Toledo, el Potro de Córdoba, el
Azoguejo y la Calongía de Segovia, el Corrillo de Valladolid, la Feria de Medina, el Compás de Sevilla..., eran como
feudos de la rufianesca y de la ramería, donde con rela-
tiva libertad ponían en ejecución sus curiosas pragmáticas.
16 *Premeter de...* "La lealtad que prometí de le guardar en el santo baptisme." Fray Francisco Ortiz, epíst. II.
"Que de otra manera yo prometo a Vm. de verle tan pocas
veces estando aquí, como si se me estoviera allá." G. de
Ayora, carta I.

lodos de las plazas, codazos de las gentes, impor-
tunidades de parientes y aun nescedades de amigos. Prometen de acompañar al presidente, visitar
al privado, halagar al portero, servir al contador,
5 dar algo al pagador, hablar al alcalde, entretener
al alguazil, sobornar al secretario y aun untar
las manos al que aposenta. Esta es, pues, la professión que los cortesanos hazen, esta es la regla
que en su religión tienen, a la qual no llamaré yo
10 religión sino confusión, no orden sino desorden,
no monesterio sino infierno, no frailes sino orates,
no regulares sino irregulares, no rezadores sino
murmuradores, no monjes del yermo sino hombres del mundo. El que en tal monesterio coma
15 éste quisiere tomar el hábito, hágale por cierto
muy buen provecho; mas hágoles saber que fuy
en él muchos y muchos años fraile y nunca me
faltó en él qué llorar, ni aun de qué me quexar.
El oráculo de Apolo dixo a los embaxadores del
20 pueblo romano que si querían que estuviesse el
pueblo bien regido que se conosciesse cada uno a
sí mismo. Grave por cierto es esta sentencia y
muy digna de encomendar a la memoria; porque
si cada uno conosciesse lo que es y para quán-
25 do es, reglarían sus desseos y ternían la rienda
a los apetitos. En todo su seso piensa un cortesano que si dentro de un año que vino a la corte,
no tiene honras, favores y officios como los otros
ancianos, que no es por inhabilidad de su perso-
30 na, sino porque le es muy contraria fortuna. El
que tales palabras dize y tales quexas toma, no

---

11 *Orates* = locos, el loco que tiene horas y dilucidos
intervalos." Covarrubias, *Tesoro*.

lleva camino de medrar, ni aun de perseverar, que
la corte es como la palma, la qual primero tiene so
la tierra una vara de raíz que muestra dos dedos
de hoja; quiero por lo dicho dezir que en la corte
muchas vezes hunden diez años de servicios antes 5
que venga un día de mercedes. Hablando con verdad y aun con libertad, en las cortes de los Príncipes, si son tres los que merescen más que tienen,
son trezientos los que tienen más que merescen.
O quán pocas vezes haze la fortuna con los mí- 10
seros cortesanos, no lo que deve, sino lo que quiere. En la corte es vanidad y aun superfluidad gastar el tiempo en inquirir lo que se haze y quién
lo haze y por qué lo haze; pues es cosa muy averiguada que allí vale más una hora de fortuna que 15
un año de cordura. La vara con que mide la fortuna los méritos y deméritos de los cortesanos es,
no la razón, sino la opinión. En la corte más que
en otra parte arde el agua sin fuego, corta el cuchillo sin azero, alumbra la candela sin llama y 20
muele el molino sin agua; quiero por lo dicho dezir que en la corte muchas vezes huye la fortuna
de quien la busca y busca a quien della huye. Buscar nadie la fortuna aprovecha poco y hallarla
cuesta muy mucho. Si topa con alguno la fortuna, 25
no es su amistad segura, y si nunca topa con ella
más le valiera no salir de su casa. Si la fortuna
sublima a algunos cortesanos no piensen que lo
haze por honrarlos, sino por de más alto despe-

9 *Trezientos*, etim. del latino *trecentos; trescientos* es
formación castellana sobre *tres.*
10 Dijo aquí Guevara lo contrario de lo que, sin duda,
quería; en vez de *o quán pocas* debió poner *o quántas.*

ñarlos. Si la fortuna dissimula con ellos algún tiempo, no es más de por tomarlos de sobresalto. Ni se espante ni se assegure nadie de la fortuna porque al cortesano que amaga es que le quiere sublimar, 5 y al que más y más halaga es al que quiere derrocar. No se fíe ni se confíe nadie de lo que ha jurado y con él capitulado fortuna, porque es tan voluntariosa en lo que haze y tan absoluta en lo que quiere que ni guarda palabra que ha dado ni 10 aun escritura que aya hecho.

CAPITULO XV

QUE ENTRE LOS CORTESANOS NO SE GUARDA AMISTAD NI LEALTAD Y DE QUÁN TRABAJOSA ES LA CORTE

Entre los famosos trabajos que en las cortes de los Príncipes se passan, es que ninguno que allí ⁵ reside puede bivir sin aborrescer o ser aborrescido, perseguir o ser perseguido, tener embidia o ser embidiado, murmurar o ser murmurado; porque allí a muchos quitan la gorra que les querrían más quitar la cabeça. O quántos ay en la ¹⁰ corte que delante otros se ríen y apartados se muerden. O quántos se hablan bien y se quieren mal. O quántos se hazen reverencias y se dejarretan las famas. O quántos comen a una mesa que se tienen mortal inimicicia. O quántos se passean ¹⁵

---

11 *Delante* = preposición.

13 "*Dejarretar* o desjarretar es, rigurosamente, cortar las piernas por el jarrete, que es por bajo la corva y encima de la pantorrilla." Covarrubias, *Tesoro.* De este sentido natural nace el traslaticio del texto y de otros pasajes. "Dejaron a Bartolomé a pie porque le dejarretaron el bagaje." Cervantes, *Persiles y Sigismunda,* libro III, capítulo XI.

15 *Inimicicia, divisos, facto,* latinismos.

juntos, cuyos coraçones están muy divisos. O quántos se hazen offrescimientos que se querrían comer a bocados. O quántos se visitan por las casas que querrían más honrarse en las obsequias.
5 Finalmente, digo que muchos se dan el parabién
de alguna buena fortuna que querrían más darse
el pésame de alguna gran desgracia. No lo affirmo, mas sospécholo, que en las cortes de los Príncipes son pocos y muy pocos y aun muy poquitos
10 y muy repoquitos los que se tienen entera amistad
y se guardan fidelidad; porque allí, con tal que
el cortesano haga su facto, poco se le da perder
o ganar al amigo. Bien confiesso yo que en la corte andan muchos hombres, los quales comen jun-
15 tos, duermen juntos, tratan juntos y aun se llaman hermanos, cuya amistad no sirve de más de
para ser enemigos de otros y cometer los vicios
juntos. ¿Qué vida, qué fortuna, qué gusto ni qué
descanso, puede tener uno en palacio, viéndose allí
20 entre tantos vendido?

Una de las grandes felicidades desta vida es tener amigos con quien nos recrear y carescer de
enemigos de que nos guardar. No dexaremos de
dezir que ay algunos cortesanos tan obstinados en
25 las competencias que toman y tan encarnizados en
las enemistades que tienen, que ni por ruegos que
les hazen, ni por miedos que les ponen se quieren
apartar del mal propósito que tienen, por manera

---

4 Obsequias = exequias. "Un hermano suyo que heredó su hazienda, ha hecho sus obsequias." Cervantes,
Persiles y Sigismunda, libro III, cap. I. "E el Rey trae
paños de duelo por su finamiento e lo ha mandado facer
osequias muy honorables." Cibdarreal, epíst. XLV.

que huelgan de meter en sus casas la guerra por
echar de casa de otro la paz. Presupuesto que todo
lo que hemos dicho es verdad, como lo es, muy
poco ay de los amigos de la corte que esperar y
mucho menos que confiar; porque allí, como todos 5
se dan al valer y al tener, quanto más uno es privado, tanto le tienen por mayor enemigo. Son los
trabajos de las cortes tantos, que es de maravillar,
y aun de espantar, cómo tienen fuerças para so-
portarlos y coraçón para dissimularlos. O si viés- 10
semos el coraçón de un cortesano, cómo veríamos
en él quán vario es en lo que piensa, quán vano
en lo que espera, quán injusto por lo que pena,
quán impaciente en lo que procura, quán indeterminado en lo que dessea y aun quán poco en lo que 15
negocia. Si los pensamientos que el cortesano tiene
fuessen vientos y sus desseos fuessen aguas, mayor peligro sería navegar por su coraçón que por
el golfo de León. Todo esto no obstante, no vemos cada día otra cosa sino que con la vida de la 20
corte todos dizen que están hartos, mas al fin a
ningunos vemos ahitos; porque, no contentos de
roer hasta los huessos, se relamen aun los dedos.
Tiene la corte un no sé qué, un no sé dónde, un
no sé como y un no te entiendo, que cada día haze 25
que nos quexemos, que nos alteremos, que nos des-
pidamos, y por otra parte, no nos da licencia para
irnos. El yugo de la corte es muy duro, las coyun-
das con que se unze son muy recias y la melena
que se cubre es muy pesada, por manera que mu- 30

19 *León* = Lyón, de Francia.
30 *Que*, englobada la preposición en el relativo.

chos de los que piensan en la corte triunfar paran
después en arar y cavar. No por más suffren los
cortesanos tantos trabajos, sino por no estar en
sus tierras sujetos a otros y por estar más liber-
5 tados para los vicios. O quánto de su hazienda y
aun quánto de su honra le cuesta a un cortesano
aquella infelice libertad; porque muy mayor es la
sujeción que tiene a los cuydados que la libertad
que tiene para los vicios. Propiedad es de vicios
10 que por muy sabrosos que sean, al fin empalagan;
mas los cuydados de la honra siempre atormentan. Muy pocos son los vicios en que pueden tomar
gusto los hombres viciosos, mayormente los cortesanos; porque si es con mugeres, hanlas de ser-
15 vir, rogar y requestar y aun alcahuetear; y a las
vezes, de que se les agota la moneda, dan al demonio la mercadería. Como viene uno de nuevo a
la corte, luego le encandila, le regala y le acaricia alguna cortesana taimada, la qual después que
20 le tiene bien pelado, embíale para bisoño. Si el vi-

5 *Quánto de*. "Ay cuánto de fatiga, | Ay cuánto de
dolor está presente | Al que viste loriga, | Al Infante va-
liente, | A hombres y caballos juntamente." Fray Luis de
León, *Profecía del Tajo*.

7 *Infelice*, véase pág. 85, 13.

12 *Tomar*, véase pág. 179, 5.

16 *De que* = cuando, después que, véase pág. 6, 9.

17 *Como* = cuando, véase pág. 136, 28.

20 Le despide por bisoño. "Diez años me ha costado
una moza aragonesa y díceme cuando conmigo se enoja:
andad para porfiado. Yo le digo: ... andad para moza; y
ella me dice: andad para viejo." Luis Milán, *El Cortesano*,
jornada III. El valor causal de *para*, equivalente a *por* en
estas frases y otras análogas, aparece más claro en los
ejemplos siguientes: "¿Ladrón me dices? Para esta †,

cio del cortesano es en comer y come en su casa,
acontéscele que a las veces va con él alguno a comer, cuyo nombre aun no querría oir nombrar.
Si por ventura come fuera de su casa, come tarde,
come frío, come desaborado y aun come obligado; 5
porque si es su igual, hale de tornar a combidar,
y si es señor, hale de seguir y aun servir. Si el
vicio es en juego, tampoco puede tomar en él mucho gusto; porque si gana, allí están muchos con
quien parta, y si pierde, no ay quien cosa le res- 10
tituya. Si el vicio es burlar y mofar, tampoco en
esto le toma plazer; porque el burlar de la corte
es que comiençan en burlas y acaban en injurias.
Como hemos dicho destos cuatro vicios, podríamos
dezir de otros quatro cientos; mas sea la conclu- 15
sión que no ay igual vicio en el mundo como estarse el hombre en su casa de assiento.

---

que yo lo diga a nuestro Obispo de Fez que os excomulgue."
El Cortesano, jorn. V, y en el conjuro clásico: *Para mi
santiguada, que...*

CAPITULO XVI

DE QUÁNTO MEJOR CORREGIDAS SOLÍAN ESTAR LAS CORTES Y REPÚBLICAS ANTIGUAS QUE LO ESTÁN AGORA LAS NUESTRAS.

Lamentava el Rey Anquises la destrucción de la superba Troya quando fué destruída de los Príncipes de Grecia. Lamentava la reina Rosana a su marido Darío quando del magno Alexandro fué vencido. Lamentava el profeta Hieremías la destrucción de su república quando fué llevada cautiva a Babilonia. Lamentava el Rey David al su hermoso hijo Absalón quando le dió de lançadas Joab. Lamentava la hermosa Cleopatra al su buen amigo Marco Antonio quando fué vencido del emperador Augusto. Lamentava el piadoso Marco Marcelo a la ciudad de Siracusana quando vió que toda se ardía. Lamentava Crispo Salutio la caída del pueblo romano. Lamentava la hija del gran Gethé la virginidad que no gozaba y la vida que perdía. Lamentava el patriarca Jacob a su hijo Josef por muerto y a Benjamín que estava presso en Egipto. Lamentava el gran Príncipe Demetrio a su buen padre y Rey Antígono porque a

la buelta de Maratona le halló muerto. Con estos
tan ilustres varones razón sería de llorar las cala-
midades de nuestros tiempos, pues cada día vemos y cada día oymos tantas y tan grandes cosas
5 acontescer, que ni los curiosos escritores las escrivieron ni en los siglos passados se padescieron.
Quánta diferencia ay de los siglos passados a los
tiempos presentes, puédese claramente conoscer en
lo que sus cronistas se pusieron a escrevir y en lo
10 que nosotros de nosotros mismos podemos contar.
El filósofo Arimino escrivió de la abundancia de
Egipto; el filósofo Demofón escrivió de la fertili-
dad de Arabia; el filósofo Tucides escrivió de las
riquezas de Tiro; el filósofo Asclepio escrivió de
15 las minas de Europa; el filósofo Dródilo escrivió
de las alabanças de Grecia; el filósofo Leónidas
escrivió de los triunfos de Tebas; el filósofo Bóreas
escrivió la opulencia y sanidad de Escancia; el filósofo Euménides escrivió la buena governación de
20 Atenas; el filósofo Tesiponto escrivió la orden que

---

1 "Antígono, padre de Demetrio en Siria, murió en la
batalla que le dieron Tolomeo y Lisímaco y Casandro, y
no en la Maratona, que es en la Grecia. La batalla cele-
brada de la Maratona no fué nada por Antígono, sino por
Milcíades ateniense y Darío, rey de Persia." P. de Rhua,
carta III.
2 La preposición *de* es régimen del substantivo razón.
"Hay hombres tan agudos y tan reagudos, que les parece
poco interpretar las palabras, mas aun tienen por officio
de adevinar los pensamientos." Guevara, *Letra para el
duque de Alba don Fadrique de Toledo*, I, 22. "No era
razón de aventurarse antes del tiempo y del aparejo que
fuese razón." G. de Ayora, c. IV; véanse págs. 65, 26;
105, 9, etc. del MENOSPRECIO.
13 *Tucides;* así las primeras ediciones; la de Madrid,
1673, pone ya Tucídides.

tenían en sus casas y cortes los antiquísimos Reyes
Siciomios; el filósofo Piteas escrivió lo mucho que
aprendían y lo poco que hablavan los discípulos de
Sócrates; el filósofo Apolonio escrivió la abstinencia y continencia que se guardava en la academia 5
del divino Platón; el filósofo Mirónides escrivió
el poco ocio y mucho ejercicio que avía en casa
del filósofo Iarcas; el filósofo Aulo Gelio escrivió
de lo poco que comían y mucho menos que dormían
en las escuelas de su maestro Suborino; el filósofo 10
Plutarco escrivió de las mugeres que uvo en Grecia sabias y de las que uvo Roma castas; el
filósofo Diodoro escrivió de cómo los de las islas
Baleares echaron en la mar a todos sus tesoros,
por quitar a los extraños de ser codiciosos y alan- 15
çar de entre sí bandos. Oydo lo que hemos dicho
y visto lo que hemos contado, pregunto agora yo
al lector de esta escritura: ¿qué es lo que le paresce devría escrevir destos tiempos mi pluma?

4 "Si con otro lo hubiera o para otro escribiera a quien
fuera necesario probar que estos autores nunca tales mate-
rias escribieron, detuviérame en mostrar que ni hubo Arimino que de Egipto haya escripto, ni Demofón que de
Arabia, ni Asclepio que de Europa, ni Dodrillo que de
Grecia, ni Leónides que de Tebas, el cual aunque fué tebano, más entendió en pelear que en escrebir; pues Boreas,
aunque viene de Escancia o Escandavia, *magis studet quam
loquitur*, y Mirónides capitán fué de atenienses contra los
beóticos, y no escriptor; finalmente, Piteas, orador ateniense, y Piteas Masiliense, nunca escribieron de Sócrates, sino
historias y cosmografía. Demás desto, en los discípulos de
Sócrates no se loa al callar, sino en Pitágoras, que a sus
discípulos por cinco años los deslenguaba (digo les vedaba
hablar) hasta que supiesen bien hablar; pero como lo haya
con vuestra señoría, que sabe mejor que yo de dónde lo
tomó, o cuándo lo fantaseó, no es menester detenerse en
computarlo." P. de Rhua, carta III.

Porque si escrevimos que hay bondades y prosperidades, hemos de mentir, y si escrevimos las ver-
dades, hanse de escandalizar. ¿Cómo loaremos a
nuestro siglo de la mucha abundancia, pues vemos
5 a los temporales tan escasos, y a los hombres tan
hambrientos? ¿Cómo loaremos a nuestro siglo de
hombres ilustres en las armas y doctos en las sciencias, pues las fuerças se emplean en robar y las
letras en engañar? ¿Cómo loaremos a nuestro si-
10 glo de próspero y sano, pues se ha hecho ya la
pestilencia tan doméstica que paresce duende de
casa? ¿Cómo loaremos a nuestro siglo de lo mucho
que aprenden y de lo poco que hablan, pues los
más de los que están en los estudios no apren-
15 den sino a dezir malicias y a hazer coplas y far-
sas? ¿Cómo loaremos a nuestro siglo de abstinen-
te y continente, pues apenas ay hombre que ayune
Cuaresma y se abstenga de amiga? ¿Cómo loaremos a nuestro siglo del poco ocio y mucho exer-
20 cicio, pues son más los que huelgan y hurtan en
los pueblos que no los que trabajan y aran en los
campos? ¿Cómo loaremos a nuestro siglo de lo
poco que come y menos que duerme, pues no comen
ya los hombres hasta hartar, sino hasta revessar
25 y regoldar? ¿Cómo loaremos a nuestro siglo de tener mugeres que guarden castidad y tengan lealtad, pues no hay vicio en el mundo que se venda
más barato que es el adulterio? ¿Cómo loaremos
a nuestro siglo de no ser codicioso ni avaro, pues

_____

24 *Revessar* = vomitar. "Qué aprovecha tener buena
comida, si de sólo verla poner en la mesa da arcadas y
reviessa." Guevara, *Epíst. al duque de Alba don Fadrique
de Toledo.*

el oro y la plata, no sólo no lo echan en las aguas,
mas aun van por ello a las Indias? De viña tan
helada, de árbol tan seco, de fruta tan gusanienta,
de agua tan turbia, de pan tan mohoso, de oro tan
falso y de siglo tan sospechoso no hemos de espe- 5
rar sino desesperar. Véanse las cortes de los Príncipes asirios, persas, medos, macedonios, griegos
y romanos, y hallarse ha por verdad que en nuestras repúblicas y cortes se cometen tales y tantos
vicios, que en aquellos antiguos reinos ni los su- 10
pieron ordenar, ni los ossaran cometer. En aquellos tiempos passados y en aquellos siglos dorados,
en caso de ser uno malo, ni lo ossava ser, ni mucho menos parescer; mas ¡ay dolor! que es venido
ya el mundo a tanta disolución y corrupción, que 15
los perdonaríamos el ser malos si no fuessen des-
vergonçados. No me negarán los cortesanos que a
la mañana, quando van a palacio, en el espacio que
ay del Rey se vestir hasta oyr missa, no se pongan a contar unos a otros lo que aquella noche han 20
jugado, lo que han murmurado, las compañías que
han tenido, las hermosas que han visto y aun las
cortesanas que han engañado. Como es el mundo
nuevo, assí son las invenciones nuevas, y las novedades que han hallado son un nuevo hablar, un 25
nuevo jugar, un nuevo banquetear, un nuevo vestir, un nuevo negociar y aun un nuevo engañar.
Cada año más, cada mes más, cada día más, y
aun cada hora más, veo que ganan más tierra los
vicios y se relaxan los virtuosos. Si como crescen 30
los vicios después que se introducen cresciesen los
árboles después que se plantan, cada semana habría leña que quemar y fruta que comer, porque

en la corte tienen las virtudes mil contraditores
y los vicios dos mil factores. Si en la corte se in-
troduze una obra virtuosa,. aún no es llegada quando es desaparescida; lo qual no es assí en alguna
5 vanidad o liviandad, porque si una vez en la corte
toma posada, ojos que la vieron venir no la verán
olvidar. El filósofo Ligurguio prohibió en sus leyes el entrar peregrinos en su república y el pe-
regrinar los suyos por otra tierra, porque los vi-
10 cios extraños y las costumbres peregrinas, ni los
unos las supiessen ni los otros las aprendiessen.
En los tiempos que era el cónsul Marco Porcio
vino un gran músico desde Grecia a Roma, el qual
era muy primo en el tañer y muy suave en el can-
15 tar, y como añadiesse de nuevo una cuerda al
instrumento con que tañía, la qual no tenían los
otros instrumentos de Roma, fué el instrumento
públicamente quemado y el maestro desterrado.
Bien daríamos agora licencia a que parassen to-
20 das las novedades en la música, con tal que no

2   *Factores* = procuradores, véase pág. 95, 12.
9   *Porque* = para que, en razón del aforismo filosófico
"finis est ratio mediorum".
14   *Primo* = primoroso. "¿No es cosa de grande admi-
ración que un gusanillo tan pequeño [el de seda] hile una
hilaza tan subtil y tan prima que todas las artes e ingenios humanos nunca hasta hoy la hayan podido imitar?"
Granada, *Símbolo de la fe*, I, 19.
18   "Esto no se lee de Porcio Catón, sino de los Eforos
de Lacedemonia [con Terpandro, a quien] penaron y en-
clavaron en la plaza la vihuela, porque decían que había
añadido una cuerda más que los pasados sin necesidad,
sólo por variar la voz. De Marco Porcio no se hallará ni
en Plutarco, en la vida, Catón ni otro autor alguno." P. de
Rhua, carta III.
19   *A* con valor final = para.

quedasse novedad en la república; porque no está
el daño en tener la vihuela muchas cuerdas, sino
en faltar de la corte muchos cuerdos. Plutarco
cuenta que estando él en Roma vió apedrear a un
sacerdote griego en el campo Marcio, no por más 5
de que en el templo de la diosa Verecinta, offresció un sacrificio delante el pueblo, no como los
sacerdotes de Roma, sino con las cerimonias de
Grecia. Suetonio dice y afirma que en quatro cientos y sesenta y quatro años que duró en Roma el 10
templo de las vírgenes vestales no se hallaron entre ellas sino quatro que fuessen malas, es a saber,
Domicia y Rea y Albina y Cornelia, las quales
fueron públicamente castigadas y aun bivas en las
sepulturas metidas. Si agora se uviessen de regis- 15
trar y castigar todas las vírgenes que son impú-
dicas y malas, tengo para mí creído que se hallarían más malas en quatro años, que entonces se
hallaron en quatro cientos. Trebelio Publio dice
que el emperador Aureliano quitó de censor a su 20

---

15 "Esto nunca lo escribió Suetonio, y que lo escribiera, no contara verdad: lo uno, porque desde Numa Pom-
pilio, que fué el que fundó el templo y religión de Vesta
y las Vestales, hasta Domiciano, no pasaron sólo cuatrocientos sesenta y cuatro años..., sino ochocientos catorce
años, pues en este tiempo hallaremos muchas Vestales in-
cestuosas. Tito Livio, en el II *Ab urbe condita*, dice que
fué condenada Opia, vestal; en el XIV libro dice que fué
condenada Sestilia, vestal; en el XX libro dice que fué
condenada Lucía, vestal; en el XXII dice que fué condenada Opia y Florencia, que en otra parte las llama Opi-
nia y Floronia", etc. P. de Rhua, carta III.
6 *Vírgines*, latinismo muy frecuente en Granada, Avila y otros clásicos. "Martirizaron a unos sanctas vírgines."
Granada, *Símbolo de la fe*, V, 19. "En compañía de otras
vírgenes." Beato Avila, epíst. XXI.

único amigo Rogerio porque en la boda de su ve-
zina Postoria avía comido y dançado, diziendo que
el buen juez ha de emplear su gravedad en las
cosas de veras y no perderla en tiempo de burlas.
5 No obstante lo que este emperador hizo, todavía
nos atreveremos a dar licencia a los juezes para
que dancen con los pies con tal que no roben con
las manos; porque al pleyteante muy poco se le
da que su juez baile en la boda, si después en la
10 audiencia le guarda justizia. De Domiciano el emperador también dize Suetonio Tranquilo: *"Ex de-
creto Domiciani accusatori qui causam teneret ul-
tra annum, exilio pœna esset."* Quiere dezir que
mandó el emperador Domiciano que el pleyteante
15 que prorrogasse el pleyto más de un año fuesse de
Roma públicamente desterrado. O si hasta este
nuestro siglo aquella ley durara y que agora se
guardara, yo juro y afirmo que fuesse mucho mayor el número de los desterrados que no el de los
20 abogados.

---

13   "Suetonio, en la vida de Domiciano, otra cosa muy
diversa dice de lo que vuestra señoría siente, cuyas palabras son éstas: *Reos qui ante quinquennium proximum
apud aerarium pependissent universos discrimine liberavit
nec repeti nisi intra annum, eaque conditione permissit ut
accussatori qui causam non teneret exilium poena esset.*
Quiere decir: "Mandó Domiciano luego que empezó a im-
perar que todos los que tenían pleitos pendientes sobre
dineros debidos al fisco de cinco años atrás, fuesen libres
de lo que les era pedido, y que lo que de ahí adelante se
pidiese, fuese dentro del año, y que si alguno quisiere acusar a otro, pasado el año que lo pudiese hacer, con tal
condición que si no probase su intención ni venciese la
causa, fuese desterrado. Así que no hace al propósito la
alegación de Suetonio." P. de Rhua, carta III.

CAPITULO XVII

DE MUCHOS Y MUY ILUSTRES VARONES QUE DE SU
VOLUNTAD Y NO POR NECESSIDAD DEXARON LAS COR-
TES Y SE RETRAXERON A SUS CASAS.

Marco Crasso fué uno de los ilustres capitanes [5]
que tuvo Roma en los tiempos que conquistava los
reynos de Asia, porque era muy animoso para pelear y muy cuerdo para governar. Este Marco
Crasso siguió la parcialidad del cónsul Sila y fué
muy contrario al cónsul Mario y al ditador Julio [10]
César, a cuya causa, quando César fué preso en
el mar Adriático por los pyratas, luego a grandes
vozes dixo: "No me pesa de ser preso, sino del
plazer que ha de tomar mi enemigo Marco Crasso." Fué maestro de este Marco Crasso un filósofo [15]
que avía nombre Alexandro, al qual él tenía como
a padre en los consejos, como a hermano en el governar, como amigo en los trabajos, y como a pre-

11 A = por, causal. "A falta de ella [de paja] se les
han muerto y mueren muchos caballos." G. de Ayora,
carta V.
15 *De este;* una de las pocas veces que Guevara no
funde la preposición enclítica con el pronombre, según
dijimos en la página 60, 12.

ceptor en las letras. Anduvo este filósofo Alexandro con su amigo Marco Crasso diez y ocho años,
después de los quales pidióle licencia para irse a
su tierra y retraerse a su casa, y al tiempo que
5 se despidió, dixo estas palabras a Marco Crasso:
"Por el amor qu te he tenido y por la doctrina que te he dado y aun por los servicios que
te he hecho, no te pido otro galardón que me
des, sino que ni me llames que torne acá, ni me
10 escrivas carta allá, después que de aquí me fuere
y de ti me partiere; porque estoy tan harto de corte, que no sólo la quiero dexar, mas aun olvidar."
Dionisio Siracusano, aunque fué el mayor tirano
de los tiranos, por otra parte fué muy grande ama-
15 dor de filósofos y amigo de hombres sabios; y assí
dezía él que a los filósofos de Grecia que los avía
de oyr, mas no creer, porque todo su hecho era
parlar y no obrar. Vinieron desde Grecia hasta Siracusana, que era la ciudad a do Dionisio residía,
20 ocho muy ilustres filósofos, es a saber: Platón,
Chilo, Demofón, Diógenes, Mirto, Pílades, Olvidio,
Surrano y otros mucho con ellos, los quales se
aprovechavan más de la hazienda dél que no Dionisio de la doctrina dellos. Once años continuos es-
25 tuvo el filósofo Diógenes en la casa y corte de Dionisio, el qual como dexase a Dionisio y a su casa
y se tornasse a Grecia y un día estuviesse lavando

---

21 "Platón, Diógenes, Aristipo, vinieron a Sicilia a
Dionisio, mas Quilón no pudo venir a ver a Dionisio, porque fué Pílades, y ciento y sesenta años antes que Dionisio. Demofón y Mirto no son hombres de quien hace men-
ción el calendario, porque ni fueron filósofos ni en tiempo
de Dionisio. Si a otro hubiese de dar cuenta, y no a vuestra señoría, fácil estaba de probar." P. de Rhua, carta III.

unas berças, díxole otro filósofo por le motejar y
aun lastimar: "Si tú no dexaras la corte de Dionisio, no lavaras berças." Al qual respondió Diógenes: "Y aun si tú te contentasses con berças,
no estarías en la corte de Dionisio." Catón Censo- 5
rino, de quien tomaron nombre todos los Catones,
fué el más virtuoso y el más estimado romano que
uvo en todos los antiguos romanos; porque en sesenta y ocho años que bivió, jamás hombre le vió
hazer liviandad ni perder la gravedad. Plutarco 10
dize dél estas palabras: "Fué Catón en el consejo
prudente; en la conversación, manso; en el corregir, severo; en las mercedes, largo; en el comer,
templado; en la vida, honesto; en lo que prometía,
cierto; en lo que mandava, grave, y aun en la 15
justicia, inessorable." Ya que el buen Catón era
en edad de cincuenta y ocho años, dexó la corte
romana y fuésse a bivir en una aldea que estava
junto a Picenio, a do agora es Puzol, y allí se estuvo el buen viejo todo el restante de su vida gran- 20

---

4 "Dejo lo que dice de Diógenes, porque ser de otra
manera verálo el que leyere a Laercio en la vida de Arís-
tipo y en la de Platón, y en la epístola XVIII del libro
primero de las epístolas de Horacio." P. de Rhua, carta III.

8 *En* por entre; lo mismo que en latín.

16 *Ya que* = cuando ya... "Ya que Licurgo era viejo,
mandó llamar a todos los Príncipes del reyno..." Guevara,
*Razonamiento sobre quién fué el filósofo Licurgo, Epístola
fam.*, V. pág. 10, 12.

12 *Era* = estaba.

19 "Plutarco, en la vida de Catón Censorio, no escribe haberse retraído Catón; ni Piceno es Puzol, sino Ancona,
y los picentes son los de Salerno. Puzol, Dicearquía fué
dicho y Puteoli." P. de Rhua, carta III.

20 *El restante.* Los adjetivos substantivados tenían el
género que como tales substantivos les correspondía. "El

geando y comiendo de su propia hazienda. Como
se estava el buen Catón en aquella su pobre casa
aparte y solo, y a ratos leyendo en los libros y a
tiempos podando las viñas, escrivieron con carbón
5 a las puertas de su casa estas palabras: *"O felix
Cato, tu solus scis vivere."* Que quieren dezir: "O
bienaventurado Catón, pues tú solo sabes bivir."
Desta tan notable antigüedad se puede coligir que
ningún cortesano en la corte sabe bivir ni apren-
10 de a morir. Lúculo, el cónsul y capitán romano,
estuvo en las guerras de los partos diez y seis
años continuos, de la qual empressa él sacó mucha fama para su persona, mucha honra para
Roma, muchas tierras para la república y aun mu-
15 chas riquezas para su casa; porque de todos los
ilustres capitanes romanos sólo Lúculo meresció
gozar en la vejez lo que avía ganado en la mocedad. Después que Lúculo vino de Asia y vió que
la república estava partida en parcialidades de Si-
20 lanos y Marianos, acordó de dexar la corte romana y hazer unas casas cabe Nápoles sobre la mar,

---

día que tomáredes a cargo una mujer, no os ha de agra-
decer el ordinario que le dais para sus alimentos, sino que
cada día os ha de pelar para sus apetitos." Guevara, *Letra para el comendador Luis Bravo*, I, 30. "El Rey fizo
menuzas en él [Diego Manrique] la lanza e luego fizo
el semejante en Juan de Merlo." Cibdarreal, epíst. LXII.
"Será muy descomulgada cosa traer razones para el contrario de lo que él [Dios] manda." Fray Francisco Ortiz,
epístola II.
18 "El que leyere la vida de Lúculo en Plutarco, hallará que nunca Lúculo hizo guerra a los partos, antes la
quiso tentar contra los partos; pero conoscida la disolución del ejército que tenía, y no pudiendo acabar con su
ejército pasase adelante, lo dejó. Tuvo Lúculo guerra con

que agora llaman Castil del Lobo, adonde estuvo
otros diez y ocho años, hasta que murió rodeado de
regalos y ahorrado de enojos. Era la casa de Lúculo muy freqüentada de todos los capitanes que
iban a Asia y de todos los embaxadores que ve- 5
nían de Roma; y como una noche no tuviesse huéspedes y su despensero se escussasse averle dado
corta y pobre cena porque no avía quien con él
cenasse, respondióle con muy buena gracia: "Aunque no avía huéspedes que cenassen con Lúculo, 10
avías de pensar que Lúculo avía de cenar con Lúculo." Plutarco, contando los exercicios de Lúculo después que se retraxo a su casa, dice: *Quotidie in
suam bibliothecam intrabat, velut in quoddam
amænissimum locum musarum, et ibi legendo, lo-* 15
quendo et disputando, tempus terebat." Como si
dixesse: "No passava día que no se retraía Lúculo
en una gran gran librería que tenía, en la qual él
con otros y otros con él, leyendo, disputando y pla-
ticando passavan su tiempo." Deste tan notable 20
exemplo se puede coligir que no está la bienaven-
turança en que tenga uno a su plazer de comer,

Mitrídates y con Tigranes, mas nunca con partos, ni venido a Roma se retrajo por las guerras silanas." P. de Rhua,
carta III.
3 *Ahorrado* = libertado; porque *ahorrar* es poner en
libertad. "Este queda captivo en poder de captiva que no
quiere ahorrarle." Villal., *Decl. del Anfitrión*, c. VII.
16 "Quien mirare este latín y el de la traslación del
intérprete de Plutarco en la vida de Lúculo, conoscerá si
fué tomado de la fuente o de algún arroyo turbio." P. de
Rhua, carta III.
17 *Que* = en que; la tendencia a considerar independen-
diente la oración de relativo.

sino en que le dé Dios reposo para que lo pueda
gozar. Helio Esparciano dize que el emperador
Diocleciano, después que uvo governado el imperio diez y ocho años, renunció totalmente el im-
5 perio y se salió de la corte romana con intención
de retraerse a su casa y acabar allí en paz y reposo la vida; porque según él dezía muchas vezes,
a sólo el emperador han de tener mancilla y a sólo
el labrador embidia. Dos años después que renun-
10 ció el imperio Diocleciano le embiaron los romanos
una muy solemne embaxada, por la qual le roga-
van mucho uviesse piedad de la República romana
y fuesse servido de tornarse a Roma, porque en
quanto él fuesse bivo de ninguno otro fiarían la
15 silla del imperio. Fué, pues, el caso que, quando
los embaxadores llegaron a su pobre casa, estava
en esa hora Diocleciano en una hortezuela pequeña que tenía, escardando unas lechugas y podando unas parras; y como le diessen la embaxada que
20 traían, respondióles él: "¿Parésceos, amigos, que
quien tales lechugas como éstas ha plantado y es-
cardado y regado que no será mejor comerlas con
reposo en su casa que no tornar a los bullicios de
Roma?" Y díxoles más: "Ya he probado a qué
25 sabe el mandar y también he probado a qué sabe
el arar y cavar; dexadme, yo os ruego, en mi casa,
que más quiero ganar de comer con mis manos en
esta aldea, que no traer a cuestas el imperio de
Roma." Deste imperial exemplo se puede coligir
• quánta mejor vida tiene en su casa el rústico des-

---

13 *En quanto* = mientras, véase, pág. 37, 13.
22 *Que* superfluo de los censurados por Juan de Valdés, véase pág. 5, 1.

melenado, que no tiene en la corte ningún príncipe del mundo. Cleo y Pericles suscedieron en la
república de Atenás a Solón Solonino, el qual fué
de los griegos muy estimado y de los atenienses
como Dios reputado; porque a la verdad, Solón 5
fué el primero que reformó la Grecia y dió leyes
en la república. Estos dos ilustres varones, ambos
fueron capitanes, ambos fueron filósofos, ambos
fueron griegos y aun ambos fueron muy grandes
repúblicos; excepto que Cleo era tenido por más 10
esforçado y Pericles por más virtuoso. Plutarco
dize deste Pericles que en treinta y seis años que
governó la república de Atenas, jamás hombre le
vió entrar en casa agena, ni assentarse en calle pública; porque en la governación era muy justo y 15
en la reputación de su persona era muy grave. Ya
que Pericles era viejo y que de los negocios públicos estava harto, acordó de salirse de la corte y
senado de Atenas e irse a bivir y a morir a una
heredad que tenía en una aldea, en la qual bivió 20
aún otros quinze años, leyendo de noche en los
libros y arando de día los campos. La casa que
Pericles tenía en aquella aldea tenía una puerta
muy pequeña por la qual el buen filósofo entrava y salía, y encima de aquella puerta tenía es- 25
critas estas palabras: "*Inveni portum, spes et fortuna, valete.*" Que quiere dezir: "Espenraça y for-

---

3 *Solonino*, véase pág. 1, 12.
13 *Hombre* = nadie, indefinido. "Convernía que no de-
xasen parar a hombre en la dicha casa." Beato Avila,
epístola XI.
16 *Ya que*, véase pág. 10, 12.
27 "Todo lo que dice de Pericles que se retrajo a una
aldea y que en ella tenía la casa una puerta con un le-

tuna, quedaos en hora buena, que yo ya he hallado
el puerto de holgança." Deste tan notable exemplo se puede coligir que ningún cortesano con verdad puede dezir que bive vida segura, si no es
5 después que se retrae a su casa. Lucio Séneca fué
ayo en las costumbres y maestro en las letras de
Nerón el cruel, sexto emperador que fué de Roma,
varón por cierto docto en las letras, sólido en la
doctrina, amador de la república, y muy corregi-
10 do en la vida. Residió Séneca en la corte romana
quarenta y quatro años, en los quales él tuvo mucha mano en los negocios y muy gran familiaridad
con los Príncipes, porque era hombre muy atentado en lo que hablava y muy cuerdo en lo que
15 aconsejava. Ya que Séneca era muy viejo y que
de los negocios públicos estava muy cansado, sa-
lióse de la corte de Roma y fuesse a morar a una
heredad suya que tenía cabe Nola de Campania, en
la qual bivió aún hartos años, empleados en muy
20 buenos exercicios. Estando, pues, allí retraído, escrivió los libros *De beneficiis*, los *De ira*, los *De
bono viro* y los *De adversa fortuna*, y, al fin, haziendo su officio la malizia humana, mandóle Nerón, su discípulo, quitar la vida, y no porque él
25 uviesse hecho cosa deshonesta, sino porque le quería mal la impúdica Domicia. Deste tan notable

---

trero que decía *Inveni portum, spes es fortuna, valete*, es
muy ajeno de lo que dice Plutarco en la vida de Pericles."
P. de Rhua, carta III.

    2 *Holgança* = descanso, tranquilidad, alegría, placer.
Conforme a las dos acepciones de *holgar:* "Mucho me huelgo de haber acertado tan bien." Fray Luis de León, *Nombres de Cristo*, l. II, Introducción. V. pág. 186, 20.

    8 *Varón*. Refiérelo a Séneca, no a Nerón, como parece.
    26 "¿Qué Domicia? Nerón no fué casado con Domicia,

exemplo se puede coligir que al hombre desdichado
y mal fortunado también persigue fortuna estando en su casa retraído, como en la corte distraído.

Escipión africano fué uno de los desseados y
amados capitanes que tuvo Roma, por que en veyn- 5
te y seys años que siguió la guerra en España y
en Africa y en Asia, nunca hizo cosa deshonesta,
nunca perdió batalla, nunca hizo a nadie injusti-
cia, ni nunca en él se conosció flaqueza. Este buen
Escipión domó a Africa, asoló a Cartago, venció 10
a Aníbal, destruyó a Numancia, y restauró a
Roma, la cual desde la batalla de Cannas estaba
derelicta. En edad de cincuenta y dos años se salió Escipión de la corte romana y se fué a retraer
a una aldea pequeña que estava entre Puzol y Ca- 15
pua, en la qual dize Séneca que no tenía otra cosa

---

sino con Octavia y con Popea Sabina y con Estatibia Me-
salina; Popea era la que quería mal a Séneca, y lo que
más le dañó a Séneca fué que fué acusado por consorte de
la conjuración con Tegilino y Rufo, y lo otro las muchas
riquezas que ayuntó en ocho años que gobernó...” P. de
Rhua, carta III.

13 “El Escipión Africano que venció a Aníbal no fué
el Escipión que asoló a Cartago, ni que destruyó a Numancia, porque el que venció a Aníbal fué Escipión Africano el Mayor, que hizo tributaria a Cartago en la segunda
guerra púnica. El que destruyó a Cartago fué Escipión
Emiliano en la tercera guerra púnica, y después a Numancia, y ni el uno ni el otro restauraron a Roma ni en
su tiempo estaba derelicta, según paresce por Polibio,
Tito Livio y Plutarco.” P. de Rhua, carta III.

15 “Si creemos a Plutarco en la vida de Escipión y a
Tito Livio y Valerio, a veinticuatro años de su edad fué
elegido Cónsul para ir en España; treinta y cuatro años
siguió la guerra y retrájose a Linterno, que es cabe Cumas,
no con tanta pobreza como aquí dice, más según dice Séneca en la epístola primera del libro XIII.” Ibid.

sino una huerta de que comía, una casa do morava,
un baño do se bañava y una nieta que le servía.
Tan de coraçón se retrajo Escipión a su aldea,
que en onze años que allí moró, jamás entró en
₅ Capua ni tornó a ver a Roma. Deste tan heroico
exemplo se puede coligir quánta mayor gloria y
honra es las honras y riquezas desta vida menospreciarlas que alcançarlas. Del divino Platón, su
naturaleza fué de Licaonia, su criança en Egipto
₁₀ y su residencia en Atenas. Este gran filósofo fué
el que a los embaxadores de Cirene que le pedían
leyes para su república respondió: *Difficillimum
est homines amplissima fortuna dilatos legibus
continere.* Que quiere dezir: "Los hombres que es-
₁₅ tán muy favorescidos de la fortuna con gran dif-
ficultad se sujetan a las leyes que tiene la república." No pudiendo Platón suffrir las importu-
nidades de los amigos y los bullicios populares, re-
tráxose en una aldea dos leguas de Atenas, que
₂₀ avía nombre Academia, en la qual el buen viejo,
por espacio de diez y ocho años leyendo y escri-

---

10 "Platón ateniense fué y no de Licaonia, según escribe Laercio y Plutarco; fué natural griego, y no asiáti-
co, lo cual fuera si fuera licaonio. Su crianza fué en Atenas, con Sócrates, con Cratilo, con Hermógenes, y en Me-
gara, con Euclides; después, en Cirene, con Teodoro, y
siendo ya de treinta años y más, pasó en Italia a Fílolao
y a Eurito pitagóricos, y de allí pasó en Egipto, de do,
vuelto, compró en tres mil dracmas la Academia en el
suburbano de Atenas; ansí que ni fué licaonio ni criado
en Egipto." P. de Rhua, carta III.

19 A los verbos de movimiento se les daba a veces la
preposición *en*. "Cuanto gozo hobieron los días pasados con
vuestra venida *en* esta tierra, tanto terror y espanto han
puesto..." Fernández del Pulgar, letra XVI.

viendo, acabó sus felices días. Por memoria de
aquella aldea a do Platón leía y vivía, a lo que los
latinos llaman agora estudio, llamaban los antiguos academia. Todos estos ilustres varones y otros
con ellos infinitos, dexaron reynos, consulados, go- 5
vernaciones, ciudades, palacios, privanças, cortes
y riquezas y se fueron a las aldeas a buscar una
honesta pobreza y una vida quieta. No diremos
que ninguno destos dexó la corte por ser pobre,
estar corrido, andar affrentado, verse desprivado 10
o por averle desterrado, sino que movidos de su
pura bondad y de su propia voluntad fueron a
dar orden en su vida antes que los salteasse la
muerte.

---

13 *Dar orden* = poner orden, ordenar.

CAPITULO XVIII

DO EL AUCTOR CON DELICADAS PALABRAS Y RAZONES MUY LASTIMOSAS LLORA LOS MUCHOS AÑOS QUE EN I CORTE PERDIÓ.

Yo mismo a mí mismo quiero pedir cuenta de mi vida a mi propia vida, para que, cotejados los años con los trabajos y los trabajos con los años, vean y conozcan todos quánto ha que dexé de bivir y me empecé a morir. Mi vida no ha sido vida sino una muerte prolixa; mi bivir no ha sido bivir sino un largo morir; mis días no han sido días sino unos sueños enojosos; mis plazeres no fueron plazeres sino unos alegrones que me amargaron y no me tocaron; mi juventud no fué juventud sino un sueño que soñé y un no sé qué que me vi; finalmente, digo que mi prosperidad no fué prosperidad, sino un señuelo de pluma y un tesoro de al-

----

17 *"Señuelo* = un cojinillo de cuero con dos alas a los lados, que imita la forma de alguna ave." *Dicc. de Autorid.* Metafóricamente vale lo mismo que atractivo engañoso. "La hermosura por sí sola atrae las voluntades de cuantos la miran y conocen, y como a señuelo gustoso, se le abaten las águilas reales y los pájaros altaneros." *Quijote*, II, 21.

quimia. Affrenta he de lo dezir, mas no lo dexaré
de dezir y es, que desde niño muy niño la corte
conoscí, a muchos Príncipes en ella alcancé, varias
fortunas en sus casas vi, de varios officios en sus
5 cortes serví, en guerras trabajosas y por mares
peligrosas los seguí, mercedes muy señaladas dellos rescibí, y aun con presperidades y adversida-
des en sus cortes me hallé. Más diré, pues más
passé, y es, que unas vezes en gracia y otras ve-
10 zes en desgracia de los Príncipes me vi, varios ge-
neros de fortuna allí tenté, muchos amigos allí
cobré, con crueles enemigos allí competí, sobresaltos de fortuna infinitos allí suffrí, alegre y triste, rico y pobre, amado y desamado, próspero y
15 abatido, honrado y affrentado, muchas y muy muchas vezes en la corte me vi.

¿Qué sacastes vos, o alma mía, de toda esta jornada? Lo que vos sacastes fué a mi cabeça cargada de canas, a mi pies poblados de gota, la boca
20 privada de muelas, a mis riñones llenos de arenas,
a mi hazienda empeñada por deudas, y a mi coraçón cargado de cuydados y aun a mi ánima no
muy limpia de pecados. Más ay que dezir, si lo
quiero todo dezir, y es, que de allí saqué al triste
25 de mi cuerpo cansado, a mi juycio remontado, a
todo mi tiempo perdido y todo lo mejor de mi vida
passado; y lo que es peor de todo, que en ninguna
cosa tomo ya gusto y de mí más que de todo estoy
descontento. ¿Qué diré de las alteraciones de mi

---

5 *Servir de,* véase pág. 11, 3.
22 *Y aún* = y finalmente, como en tantas otras enume-
raciones que hemos visto en Guevara.
25 *Remontado* = turbado, enloquecido.

vida y de las mudanças que hizo en mi fortuna?
Y estas no tanto en mi salud quanto en mi virtud;
porque ni allá fuí qual yo era, ni acá soy qual allá
fuí. Fuí a la corte inocente y tornéme malicioso,
fuí sincerísimo y tornéme doblado, fuí verdadero 5
y aprendí a mentir, fu humilde y tornéme presumptuoso, fuí modesto y hízeme voraze, fuí pe-
nitente y tornéme regalado, fuí humano y tornéme
inconversable; finalmente digo que fuí vergonçoso
so y allí me derramé y fuí muy devoto y allí me 10
entibié. ¿Es verdad, pues, que anduve muchas escuelas o mudé muchos maestros para aprender estos vicios? No por cierto; porque uno de los peligros que ay en la corte es, que se aprenden los
vicios sin maestro y no se quieren dexar sin cas- 15
tigo.

Tenía cuenta con mi hazienda y esto para saber cómo se gastava y no para bien distribuirla.
Tenía cuenta con mi honra, no por mejorarla sino
por aumentarla. Tenía cuenta con el tiempo, no 20
para bien lo emplear, sino para a mí me aprovechar. Tenía cuenta con el contador para que me
librasse, y no con el virtuoso para que me corri-
giesse. Tenía cuenta con el pagador para saber
lo que me debía, y no con el pobre para ver lo que 25
padescía. Tenía cuenta con mis criados, y esto
para ver cómo me servían y no para saber cómo
bivían. Tenía cuenta con mi vida, no para enmen-
darla, sino para conservarla. He aquí, pues, toda

---

7 *Vorace* = ambicioso, véase pág. 85, 13.
8 *Humano* = afable, tratable.

mi cuenta, con la cual oxalá nunca tuviera cuenta.
Vamos adelante y verán todos los exercicios que
tenía y en los peligros que me ponía, porque la
corte no es sino un reventón de buenos y un res-
5 balador de malos y un atolladero de todos. Nunca
fuí a palacio que me faltasse una ventana a do
me arrimar y un cortesano con quien murmurar.
Nunca salí por la corte que no viesse algo de que
tener embidia y aun alguna persona en quien pu-
10 siesse la lengua. Nunca hablé con los Príncipes y
con sus privados que si una vez saliesse contento,
no saliesse ciento muy despechado. Nunca me acos-
té sin santiguar ni nunca tomé el sueño sin sospirar. Nunca estuve en lugar que me agradasse ni
15 en posada que me contentasse. Finalmente digo y
affirmo que nunca me vi en la corte tan contento
que de hora a hora no me viniesse algún sobresalto. No paravan en esto mis trabajos, ni aun mis
grandes tropiezos; porque en la corte yo era el
20 que tenía menos parte en mí, según los que de-
pendían de mí. Si quería hazer algún bien, po-
níanseme delante mis gastos. Si quería darme a
estudiar, sobrevenían mis amigos. Si quería re-

---

1 Juega del vocablo *cuenta*, en el sentido de *cuidado* y
en el sentido de *deuda*.
4 *"Reventón* = la cuesta, que hace perder el aliento
al que la sube y tiene necesidad de respirar y descansar."
Covarrubias, *Tesoro.* "No hay camino en esta vida tan
descumbrado do no hay en él rebentón que subir o barran-
cos que pasar." Guevara, *Aviso de privados,* cap. XVI.
4 *Resbalador,* así la edición *princeps;* en las demás,
resbaladero.
20 *Según* = en proporción de, en comparación de.

zar las horas, luego me salteavan negocios. Si me quería retirar de la corte, no me dexavan mis deudos. Si me escondía una hora solo, martirizávanme los cuydados. Finalmente digo que nunca me tomó la noche contento ni vi amanescer el día sin 5 cuydado. O quánto bien fuera, si aun en esto mi culpa parara; mas, pues en más pequé, más diré. A quien privava más que yo teníale embidia y del que estava arrinconado no tenía mancilla. A quien me caía en gracia no hallava en él qué culpar y al 10 que me caía en desgracia aun no le podía ver. A do algo se tratava siempre me quería señalar y si alguno me contradezía tomávame a porfiar. Todo lo que yo dezía quería que fuesse evangelio y de todo quanto otros dezían estava sospechoso. En todos 15 hallava qué reprender y contra mi persona no podía ni una palabra suffrir. O quántas veces me acontesció descuydarme con el bocado en la boca y olvidárseme el propósito de lo en que entonces hablava. O quántas vezes rezando se me olvidó 20 el verso en que iba y estando a solas, yo mismo,

---

1 *Negocios*, en sentido indeterminado, y por eso sin artículo.

5 *Tomar* = sorprender. "Si por ventura las toma la noche [a las abejas] en el campo, duermen acostadas de espaldas." Granada, *Símbolo de la fe*, parte I, cap. XX. "Si las velas [vigilantes] los toman con el hurto en las manos, castíganlos." Idem, ibíd.

13 *Tomarse a.* "Acordándose, pues, el triste rey [Boabdil] y todos los que allí íbamos con él... del famoso reino que habíamos perdido, tomámonos todos a llorar y aun nuestras barbas todas canas a mesar." Guevara, *Letra para Garci Sánchez de la Vega.* "Se ponen a rezar, se ocupan en sospirar, se toman a llorar." *Idem de los inventores del marear*, capítulo VII.

comigo mismo hablava. O quántas vezes me acontesció que, saliendo de consejo cansado o de palacio amohinado, ni quería a mis criados oyr ni
a los negociantes despachar. O quántas vezes me
5 hallé en la corte tan dessabrido y tan aborrido, que
ni sabía lo que quería, aunque me lo dieran, ni
sabía de lo que estava quexoso, aunque me lo pre-
guntaran. O quántas vezes me tomava gana de
retirarme de la corte, de apartarme ya del mundo,
10 de hazerme ermitaño o de meterme fraile cartu-
xo; y esto no lo hazía yo de virtuoso, sino de muy
desesperado, porque el Rey no me dava lo que yo
quería y el privado me negava la puerta. Aun a
más llegaban mis trabajos, si los quiero contar to-
15 dos. Siempre andava preguntando qué era lo que
en la corte se hazía, siempre andava pensando
qué me sucedería, siempre andava escuchando qué
de otros oyría, siempre andava tentando qué sen-
tiría, siempre andava mirando qué veería, y al
20 fin al fin, quanto oía en público y sabía en secreto
hallava por mi cuenta que todo me dañava, de
todo me pesava, todo me entristecía y aun con
todo me podría. No paremos aquí, pues mis infortunios no pararon aquí. Si estava rico, como en-
25 xambre me querían desentrañar; y si me veían

---

1 *Comigo.* "He pensado comigo diversas vezes." *Prohe-
mio a la traducción de la Divina Comedia, por don Pedro
Fernández de Villegas, arcediano de Burgos.* "Y también
se suelen intitular a personas de co mucha doctrina." 'Ossuna, *Abecedario espiritual,* parte II, fol. VIII.
11 *De* = por, causal, véase pág. 36, 12.
19 *Veería,* véase pág. 27, 13.
19-20 *Al fin al fin,* véase pág. 97, 9.
23 *Podría,* del verbo *podrir.*

pobre, ninguno era para me socorrer. Los más de mis amigos éranme pesados y todos mis competidores me eran muy peligrosos. Los negociantes éranme importunos y todos mis criados muy enojosos. Si oía vozes, enojávame; y si no oía a nadie, 5 assombrávame. La soledad poníame tristeza, y la mucha compañía importunidad. El mucho exercicio cansávame y la ociosidad dañávame. Si estava sano atormentávanme los cuydados, y si estava enfermo justiciávanme los médicos. Finalmente digo 10 y affirmo que muchas vezes me vi en la corte tan aborrido y yo mismo de mí mismo tan desabrido que ni ossava pedir la muerte, ni tomava gusto en la vida.

---

6 *Poner* = causar. "Su señoría se mostró con tanto denuedo y alegría, que puso tanto ánimo en toda la gente, que fué maravilla." G. de Ayora, carta III. "A la verdad, es muy al propósito para declarar el mucho espanto que pone al amor del Esposo la vista de la Esposa." Fray Luis de León, *Declaración del Cantar de los cantares*, c. VI. "El aire el huerto orea | y ofrece mil olores al sentido, | los árboles menea | con un manso ruido | que del oro y del cetro pone olvido." Idem, *Oda a la vida del campo*.

CAPITULO XIX

DO EL AUCTOR CUENTA LAS VIRTUDES QUE EN LA COR-
TE PERDIÓ Y LAS MALAS COSTUMBRES QUE ALLÍ
COBRÓ.

Ya mi fortuna se fué, ya mis amigos se murieron, ya mis fuerças se acabaron, ya mi vida pe-
resció, ya mi juventud fenesció, ya mis émulos se
cansaron, ya mis apetitos cessaron y aun mis regalos se ausentaron. O si todo se acabara y quanto para mí mejor fuera; mas, ¡ay de mí! que no
queda otra cosa en mí, sino el traidor del coraçón
que nunca acaba de dessear cosas vanas y la maldita de la lengua que nunca cessa de dezir palabras livianas. No lo sé por sciencia sino por experiencia, que olvidar injurias, refrenar palabras
y atajar desseos tres cosas son que con gran dif-
ficultad se despiden y que tarde o nunca del coraçón se desarraigan. O quánto va de quien yo fuy
a quien soy agora; porque me vi antes que fuesse
a la corte religioso, retraído, disciplinado y teme-
roso, y después acá me he tornado flaco, floxo, tibio, absoluto y atrevido y aun de las cosas de mi
alma no muy recatado. ¡Ay de mí! ¡ay de mí! que

soy el que no era y no soy el que debiera; porque
soy en los oydos sordo, soy de los ojos ciego, soy
de los pies coxo, soy en las manos gotoso, soy en
las fuerças flaco, soy en las canas viejo y soy en
5 las ambiciones moço. Quiero contar mis propósitos y verán cuán vario fuy en ellos; porque era de
tan mala yazija mi coraçón, que en todas las cosas buscava descanso y en todas ellas hallava peligro y tormento. Propuse muchas vezes de salir-
10 me de la corte y luego a la hora me arrepentía;
proponía de estarme en casa y luego apostatava;
proponía de no ir a palacio y luego iba otro día;
proponía de no hablar en vacante y luego la pe-
día; proponía de más no me enojar y luego me
15 apassionava; proponía de a nadie visitar y luego
me derramava, hazía del enojado y luego me aman-
sava; capitulava comigo de estudiar y luego me
cansava; determinava de irme a la mano y luego

---

7 *Yazija.* "Ay en las cortes de los Príncipes, algunos
que están notados de ser ellos de tan mala yacija, y su
familia de malas mañas, que se determinan sus huéspedes
o de no les recibir o de ellos se ausentar." Guevara, *Des-*
pertador de cortesanos, cap. III. "El hombre que a la clara
impugna lo que la razón le dicta, de sí mesmo predica ser
de maldita yazija y comerse todo de carcoma." Guevara,
Aviso de privados, cap. XX.
11 *"Apostatar* = tener diversos pareceres en una cosa."
Covarrubias, *Tesoro.*
12 *Proponer de* era usual.
13 *Hablar en.* V. pág. 3, 14.
15 *Passión y apassionarse,* se refieren en Guevara a
sólo el apetito irascible, véase pág. 108, 7.
17 *Comigo,* véase pág. 180, 1.
18 *Determinar de.* "Después de haber salido [don Qui-
jote] de la venta, determinó de ver primero las riberas del
río Ebro." *Quij.,* II, 27. "Y por esto no puede faltar el

sobresalía; finalmente digo, que se me han passado todos mis años llenos de sanctos deseos y
vacíos de buenas obras. Conforme a lo dicho digo
que en tener sanctos propósitos ningún sancto me
sobrepujó, y en ser muy pecador ningún peca- 5
dor me igualó. O qué de cosas yo mismo a mí
mismo me prometía, qué torres de viento hazía,
qué vanas esperanças tenía, qué hartazgas de pen-
samiento me dava, qué presumpción de mis habilidades tenía, qué encarescimiento de mis ser- 10
vizios hacía y aun de mi favor y privança qué
es lo que presumía. Después de cotejados mis deméritos con mis méritos, hallé por cierto y por
verdad que era vanidad todo lo que desseava y
muy gran liviandad todo lo que pensava. Vamos 15
adelante con la confessión, pues es todo para mí
más confussión. Muchas vezes en la corte estando
solo me passava a pensar qué iba de mí a los otros
y de los otros a mí, y persuadíame a mí que en
sangre ninguno era tan limpio, en sciencia tan doc- 20
to, en doctrina tan gracioso, en aconsejar tan cuerdo, en hablar tan limitado, en escrevir tan elegan-
te, en criança tan comedido y en conversación tan
amoroso. Y después que tornava sobre mí y veía
las faltas que avía en mí, hallava por cierto y por 25
verdad que en todo me levantava falso testimonio
y que en otros y no en mí se hallava todo aquello.
Holgava que todos me tuviessen por sancto, todos

---

alegría de la buena consciencia a los que se determinan de
guardar los mandamientos de Dios." Granada, *Símbolo de
la fe,* II, 4.
 9 *Hartazgas* = hartazgos.
28 *Holgar* = alegrarse. "Yo, señor, huelgo de cumplir

por docto, todos por recogido, todos por desapas-
sionado, todos por contento, todos por zeloso y todos por assossegado; y, por otra parte, estava mi
voluntad hecha un piélago de desseos y mi cora-
5 çón un mar de pensamientos. O quánta differencia va de lo que los cortesanos somos, a lo que éra-
mos obligados de ser, a causa que en la honra queremos ser muy estimados y en el bivir muy li-
bertados, lo cual no se puede compadescer, porque
10 la desordenada libertad siempre fué enemiga de
la virtud. Yo mismo de mí mismo estoy espantado
de verme que no era el que soy y ni soy el que
era; porque solía dessear que la corte se mudas-
se cada día, y agora no he gana de salir de casa.
15 Solía holgar de ver novedades y agora aun no
querría aun oir nuevas. Solía que no me hallava
sin conversación y agora no amo sino soledad. So-
líame plazer con ver a mis amigos y agora los
tengo ya por pessados. Solía holgarme de ver los
20 bovos, oyr los chocarreros y hablar con los locos,
y agora ni he gana de ver al que es loco, ni aun
ponerme a platicar con el cuerdo. Solía que en
cazar con hurón, pescar con vara y jugar a la ballesta tenía algún passatiempo, mas agora ya en
25 ninguna cosa déstas ni de otras tomo gusto ni passatiempo, si no es en hartarme de pensar en el
tiempo passado. Si me acuerdo del tiempo passado, no es por cierto del tiempo que gocé, ni de los
plazeres que passé, sino de la religión adonde Dios
30 me llamó y del monesterio virtuoso de do César me

con lo que pedís y escreviros lo que queréis." Guevara,
Letra para el comendador Luis Bravo, I, 31.
   20 *Bovos* = graciosos, el bobo de las comedias.

sacó, en el qual estuve muchos años criado en mucha aspereza y sin saber qué cosa eran liviandades. Allí rezava mis devociones, hazía mis disciplinas, leía en los libros sanctos, levantávame de noche a maytines, servía a los enfermos, aconsejávame con los ancianos, dezía a mi Perlado las culpas, no hablava palabras ociosas, dezía missa todas las fiestas, confessávame todos los días, finalmente digo que me ayudavan todos a ser bueno y me iban a la mano si quería ser malo.

Si en algo acertava, luego lo aprobavan; si en algo errava, luego me corregían; si en algo me desmandava, luego me castigavan; si estava triste, luego me consolavan; si andava tentado, luego me remediavan; y si andava alterado, luego me assossegavan. O quánta más razón tengo yo de estar triste por la religión de do me sacaron, que no alegre por la dignidad episcopal que me dieron; porque en la religión parescíame estar en el puerto y en la dignidad episcopal paresce que me voy a lo hondo. He aquí, pues, en lo que he expendido mi puericia, gastado mi juventud y empleado mi senectud; y lo peor de todo es, que ni he sabido a mí aprovechar, ni el tiempo emplear, ni a la fortuna conoscer, ni aun de la corte gozar, porque entonces la venimos a conoscer quando es ya tiempo de la dexar. Ya podría ser que alguno leyesse esta escritura, el qual dixesse y affirmasse que todo lo que aquí está escrito ha por él mismo passado, y en tal caso le amonesto y ruego sepa mejor que yo aprovecharse del tiempo o si no dar con tiempo a la corte mano.

CAPITULO XX

DE CÓMO EL AUCTOR SE DESPIDE DEL MUNDO CON MUY DELICADAS PALABRAS. ES CAPÍTULO MUY NOTABLE

Quédate adiós, mundo, pues no hay que fiar de ti ni tiempo para gozar de ti; porque en tu casa, 5 o mundo, lo passado ya passó, lo presente entre las manos se passa, lo por venir aun no comiença, lo más firme ello se cae, lo más recio muy presto quiebra y aun lo más perpetuo luego fenesce; por manera que eres más defuncto que un defuncto y 10 que en cien años de vida no nos dexas bivir una hora. Quédate adiós, mundo, pues prendes y no sueltas, atas y no afloxas, lastimas y no consuelas, robas y no restituyes, alteras y no pacificas, deshonras y no halagas, acussas sin que ayas quexas 15 y sentencias sin oyr partes; por manera que en tu casa, o mundo, nos matas sin sentenciar y nos entierran sin nos morir. Quédate adiós, mundo, pues en ti ni cabe ti no hay gozo sin sobresalto, no ay paz sin discordia, no ay amor sin sospecha, no 20 ay reposo sin miedo, no ay abundancia sin falta, no ay honra sin mácula, no ay hazienda sin consciencia, ni aun ay estado sin quexa, ni amistad sin

---

22 *Consciencia* = cargo de conciencia, véase página 117, 15.

malicia. Quédate adiós, mundo, pues en tu palacio prometen para no dar, sirven a no pagar, con-
vidan para engañar, trabajan para no descansar,
halagan para matar, subliman para abatir, ríen
para morder, ayudan para derrocar, toman para
no dar, prestan a luego tornar y aun honran para
infamar y castigan sin perdonar. Quédate adiós,
mundo, pues en tu casa abaten a los privados y
subliman a los abatidos, pagan a los traidores y
10 arrinconan a los leales, honran a los infames e infaman a los famosos, alborotan a los pacíficos y
dan rienda a los bulliciosos, saquean a los que no
tienen y dan más a los que tienen, libran al malicioso y condenan al inocente, despiden al más sabio y
15 dan salario al que es más nescio, confíanse de los
simples y recátanse de los avisados; finalmente,
allí hazen todos todo lo que quieren y muy pocos
lo que deven. Quédate adiós, mundo, pues en tu
palacio a nadie llaman por su nombre propio: por-
20 que al temerario llaman esforçado; al cobarde, recogido; al importuno, diligente; al descuydado, pa-
cífico; al pródigo, magnánimo; al escaso, modesto; al hablador, eloqüente; al nescio, callado; al
dissoluto, enamorado; al honesto, frío; al entre-
25 metido, cortesano; al vindicativo, honroso; al apo-
cado, suffrido; y al malicioso, simple, y al simple, nescio; por manera que nos vendes, o mundo,
el envés por revés y el revés por envés. Quédate

---

28 Ni Covarrubias, ni el *Dicc. de Autorid.*, ni el uso de
hoy mismo, autorizan a tomar el envés de un paño, cuero...,
etcétera, por la cara, como parece tomarlo aquí el autor,
so pena de que la frase no signifique nada. Envés, etimológico de *inversum*, y revés, etimológico de *reversum*, son
una misma cosa.

adiós, mundo, pues traes a todo el mundo engañado, es a saber, que a los ambiciosos prometes
honras; a los inquietos, mudanças; a los malignos, privanças; a los floxos, afficios; a los codiciosos, tesoros; a los voraces, regalos; a los car- 5
nales, deleytes; a los enemigos, vengamças; a los
ladrones, secreto; a los viejos, reposo; a los mancebos, tiempo, y aun a los privados, seguro. Quédate adiós, mundo, pues en tu palacio ni saben
guardar verdad ni mantener fidelidad; porque a 10
unos traes desvelados, a otros amodorridos, a otros
atónitos, a otros embobescidos, a otros desatina-
dos, a otros descaminados, a otros desesperados,
a otros pensativos, a otros alterados, a otros abo-
bados, a otros affrentados y a todos juntos assom- 15
brados. Quédate adiós, mundo, pues en tu compañía el que acierta va más perdido, el que te halla
es peor librado, el que te habla es más affrentado, el que te sigue va más descaminado, el que te
sirve es peor pagado, el que te ama es peor tra- 20
tado, el que te contenta va más descontento, el
que te halaga es más lastimado, el que más priva
es más desprivado y el que en ti fía es más engañado. Quédate adiós, mundo, pues para contigo no aprovechan dones que te den, servicios que 25
te hagan, lisonjas que te digan, regalos que te pro-
metan, caminos que te sigan, fidelidad que te guarden ni aun amistad que te tengan. Quédate adiós,
mundo, pues en tu palacio a todos engañas, a todos derruecas, a todos infamas, a todos acozeas, 30
a todos castigas, a todos lastimas, a todos trope-

---

23 *Desprivado*, el día de su caída.

llas, a todos amenazas, a todos enriscas, a todos
despeñas, a todos enlodas, a todos acabas y aun
a todos olvidas. Quédate adiós, mundo, pues en tu
compañía todos lamentan, todos sospiran, todos
5 sollozcan, todos gritan, todos lloran, todos se que-
xan, todos se messan y aun todos se acaban. Quédate adiós, mundo, pues en tu casa no aprendemos
sino a aborrescer hasta matar, hablar hasta mentir, amar hasta desesperar, comer hasta regoldar,
10 bever hasta revessar, tratar hasta robar, requestar hasta engañar, porfiar hasta reñir y aun pecar hasta morir. Quédate adiós, mundo, pues andando empos de ti la infancia se nos passa en olvido, la puericia en experiencias, la juventud en
15 vicios, la viril edad en cuydados, la senectud en
quexas y aun el tiempo en vanas esperanças. Quédate adiós, mundo, pues de tu palacio sale la cabeça cargada de canas, los ojos de legañas, las narices de reúma, la frente de arrugas, los pies de
20 gota, los muslos de ciática, el estómago de humores, el cuerpo de dolores y aun el coraçón de cuydados. Quédate adiós, mundo, pues en tu palacio
ninguno quiere ser bueno, lo qual paresce muy claro en que cada día empozan traydores, arrastran
25 salteadores, degüellan homicianos, queman here-
ges, quintan a perjuros, destierran a bulliciosos,

---

6 *Messarse* = pelarse las barbas.
19 "*Reuma* — fluxión de nariz. Reuma es lo mismo que
corrimiento, de un verbo griego que significa correr, fluir."
Covarrubias, *Tesoro.*
26 *Quintar*, es sacar de cada cinco uno; pero aquí tiene
significación general, como *dezmar*, hoy *diezmar*, que, etimológicamente también, significa sacar de cada diez uno.

enmordazan a blasfemos, enclavan a traviesos,
ahorcan a ladrones y aun quartean a falsarios.
Quédate adiós, mundo, pues tus criados no tienen
otro passatiempo sino ruar calles, mofar de los
compañeros, requestar damas, enviar recaudos, en- 5
gañar a muchas vírgines, ojear ventanas, escrevir
cartas, tratar con las alcahuetas, jugar a los dados, relatar vidas de próximos, pleytear con los
vezinos, contar nuevas, fingir mentiras, buscar regalos e inventar vicios nuevos. Quédate adiós, mun- 10
do, pues que en tu casa a ninguno veo contento;
porque si es pobre, querría tener; si es rico, querría valer; si es abatido, querría subir; si es olvidado, querría medrar; si es flaco, querría poder; si es injuriado, querríase vengar; si es pri- 15
vado, querría permanescer; si es ambicioso, querría mandar; si es codicioso, querría se estender
y si es vicioso, querría se holgar. Quédate adiós,
mundo, pues en ti no ay coxa fixa ni segura; porque a los homenajes hienden los rayos, a los mo- 20

---

2 *Quartear* = hacer cuartos o cuartas partes. "Los
hijos de Vasco Bello han quarteado su hazienda, como si
la quartearan por justicia, en que una parte della han
dado a mugeres, otra a banquetes, otra a tahures, otra
a liviandades." Guevara, *Letra para Mosén Rubín Valenciano, de Febrero de 1526.*

5 "*Recaudos* = recados." *Dicc. de Autorid.* "Todo esto
que os he dicho, pastoras, prosiguió Maurisa, mi hermano
Galercio me dijo que os lo dijese, el cual a vosotras con
este recaudo venía." Cervantes, *La Galatea*, lib. V.

20 *Homenaje* = torre maestra o castillo de retirada, según la fortificación antigua de las plazas. "Los que son
muy valerosos y muy poderosos en un reyno, dévense contentar con lo que se contentan las almenas en el castillo,
conviene a saber: que están más altas que el adarve y

linos llevan las crescientes, a los ganados daña la
roña, a los árboles come el coco, a los panes tala
la langosta, a las viñas taça el pulgón, a la madera desentraña la carcoma, a las colmenas hier-
5 man los zánganos y aun a los hombres matan los
enojos. Quédate adiós, mundo, pues no ay en tu
palacio quien quiera bien a otro; porque la onça
pelea con el león, el rinoceronte pelea con el coco-
drilo, el águila con el avestruz, el elefante con el
10 minotauro, el girifalte con la garça, el sacre con
el milano, el oso con el toro, el lobo con la yegua,
el cuclillo con el picazo, el hombre con el hombre
y todos juntos con la muerte. Quédate adiós,
mundo, pues en tu casa no ay cosa que no nos
15 dé pena; porque la tierra se nos abre, el agua
nos ahoga, el fuego nos quema, el aire nos des-
templa, el invierno nos arrincona, el verano nos
congoxa, los canes nos muerden, los gatos nos ara-
ñan, las arañas nos emponzoñan, los mosquitos
20 nos pican, las moscas nos importunan, las pulgas
nos despiertan, las chinches nos enojan, y, sobre
todo, los cuydados nos desvelan. Quédate adiós,
mundo, pues por tu tierra ninguno puede andar seguro; porque a cada passo se topan pie-
25 dras a do tropiecen, puentes de do cayan, arroyos

---

más baxas que el omenage." Guevara, *Marco Aurelio*, libro I, cap. XXXVI.
    4 *Hierman* = despueblan, dejan deshabitadas las col-
menas.
    10 *Girifalte* = halcón de pluma blanca. *Sacre* = hal-
cón de pluma manchada.
    19 *Empozoñar*. Así, sin epéntesis de *n.* como etimo-
lógico de *potioneare.*
    25 *Cayan,* del vulgar *cadeo,* véase pág. 5, 4.

a do se ahoguen, cuestas a do se cansen, truenos
que nos espanten, ladrones que nos despojen, compañías que nos burlen, nieves que nos detengan,
rayos que nos maten, lodos que nos ensucien, por-
tazgos que nos cohechan, mesoneros que nos enga- 5
ñan y aun venteros que nos roben. Quédate adiós,
mundo, pues en tu casa, si no ay hombre contento,
tampoco le ay sano; porque unos tienen buvas,
otros sarña, otros tiña, otros cáncer, otros gota,
otros ciática, otros piedra, otros ijada, otros quar- 10
tana, otros perlesía, otros asma y aun otros locura. Quédate adiós, mundo, pues en tu palacio ninguno haze lo que otro haze; porque si uno canta,
otro cabe él llora; si uno ríe; otro cabe él sospira;
si uno come, otro cabe él ayuna; si uno duerme, 15
otro cabe él vela; si uno habla, otro cabe él calla;
si uno passea, otro cabe él huelga; si uno juega,
otro cabe él mira, y aun si uno nasce, otro a pared
y medio muere. Quédate adiós, mundo, pues no
hay criado en tu palacio que no sea de algún de- 20
fecto notado: porque si es alto, declina a jiboso;
si tiene buen rostro, es en los ojos vizco; si tiene
buena frente, es angosto de sienes; si tiene buena
boca, fáltanle los dientes; si tiene buenas manos,
tiene malos cabellos; si tiene buena voz, habla algo 25
gangoso; si es suelto, es también sordo; si es recio, es algo coxo; y aun si es bermejo, no escapa
de malicioso. Quédate adiós, mundo, pues en tu
palacio ninguno bive de lo que otros, porque unos
siguen la corte, otros navegan la mar, otros andan 30

---

27 "Ni gato ni perro de color bermejo", dice el refrán.
Nace esta aversión al color bermejo de haber sido rubio
Judas, el traidor, que vendió a Jesucristo.

en ferias, otros aran los campos, otros pescan los
ríos, otros sirven señores, otros andan caminos,
otros aprenden officios, otros goviernan reynos y
aun otros roban los pueblos. Quédate adiós, mun-
5 do, pues en tu casa ni son conformes en el bivir
ni tampoco en el morir; porque unos mueren niños, otros moços, otros viejos, otros ahorcados,
otros ahogados, otros quarteados, otros despeña-
dos, otros hambrientos, otros ahitos, otros hablan-
10 do, otros durmiendo, otros apercibidos, otros des-
cuydados, otros alançeados y aun otros entosica-
dos. Quédate adiós, mundo, pues en tu palacio ni
se parescen en la condición ni menos en la conversación; porque si uno es sabio, otro es nescio;
15 si uno agudo, otro es torpe; si uno hábil, otro es
rudo; si uno animoso, otro covarde; si uno callado, otro boquirrito; si uno suffrido, otro bullicioso,
y aun si uno es cuerdo, otro es loco. Quédate adiós,
mundo, pues no ay quien contigo pueda bivir y
20 menos se apoderar; porque si como poco, estoy flaco, y si mucho, ando hinchado; si camino, cánsome;
si estoy quedo, entorpézcome; si doy poco, llá-
manme escaso, y si mucho, pródigo; si estoy solo,
assómbrome, y si acompañado, importúnome; si
25 visito a menudo, tómanlo a importunidad, y si de
tarde en tarde, a presumpción. Si suffro injurias,
dizen que es poquedad, y si las vengo, que es
crueldad; si tengo amigos, importúnanme, y si enemigos, persíguenme; si estoy siempre en un lugar,
30 siento hastío, y si me mudo a otro, enójome; fi-

---

10 *Pescar*, en significación activa, como la tiene aún en
Castilla. *Pescar un pozo* es sacar la pesca de él.

nalmente digo que lo que aborrezco me hazen tomar, y lo que amo no puedo alcançar. O mundo
inmundo, yo que fuí mundano conjuro a ti, mundo,
requiero a ti, mundo, ruego a ti, mundo, y pro-
testo contra ti, mundo, no tengas ya más parte en 5
mí; pues yo no quiero ya nada de ti ni quiero más
esperar en ti, pues sabes tú mi determinación, y
es que:

POSUI FINEM CURIS;
SPES ET FORTUNA, VALETE VALETE   10

Aquí se acaba el libro llamado MENOSPRECIO DE
CORTE Y ALABANÇA DE ALDEA, compuesto por el ilustre señor Don Antonio de Guevara, Obispo de
Mondoñedo, Predicador y Cronista y del Consejo
de su Majestad en el qual se tocan muchas y muy 15
buenas doctrinas, para los hombres que aman el
reposo de sus casas y aborrescen el bullicio de las
Cortes. Fué impresso en la muy leal y muy noble
Villa de Valladolid por industria del honrado varón impressor de libros, Juan de Villaquirán a 20
diez y ocho de Junio. Año de mill y quinientos y
treynta y nueve.

ÍNDICE

Páginas

Prólogo.. VII

Comiença el prólogo del auctor dirigido al Serenis-
simo Rey de Portugal, en el qual pone muchas buenas doctrinas y toca muy notables historias...... 1

Comiença el libro llamado Menosprecio de corte dirigido al muy alto y muy poderoso señor el Rey
de Portugal don Juan tercero deste nombre, compuesto por el ilustre señor don Antonio de Guevara, Obispo de Mondoñedo, Predicador y Cronista y
del Consejo de su Majestad................................ 21

CAPÍTULO I. Do el auctor prueva que ningún cortesano se puede quexar sino de sí mismo............... 23

CAP. II. Que nadie deve aconsejar a nadie se vaya a
la corte o se salga de la corte, sino que cada uno
elija el estado que quisiere................................ 35

CAP. III. Que no conviene al cortesano dexar la corte porque esté desfavorescido, sino por pensar que
fuera de allí será más virtuoso......................... 45

CAP. IV. De la vida que ha de hazer el cortesano en
su casa después que uviere dexado la corte......... 55

CAP. V. Que la vida de la aldea es más quieta y más
privilegiada que la vida de la corte.................. 67

CAP. VI. Que en el aldea son los días más largos y
más claros, y los bastimentos más baratos......... 79

CAP. VII. Que en el aldea son los hombres más virtuosos y menos viciosos que en las cortes de los
príncipes... 87

Páginas

Cap. VIII. Que en las cortes de los príncipes tienen
por estilo hablar de Dios y bivir del mundo......... 95

Cap. IX. Que en las cortes de los príncipes son muy
pocos los que medran y muchos los que se pierden. 101

Cap. X. Que en las cortes de los príncipes ninguno
puede bivir sin afeccionarse a unos y apassionar-
se con otros... 107

Cap. XI. Que en las cortes de los príncipes son tenidos en mucho los cortesanos recogidos y muy
notados los dissolutos....................................... 113

Cap. XII. Que en las cortes de los príncipes todos
dizen "haremos" y ninguno dize "hagamos"...... 125

Cap. XIII. De quán poquitos son los buenos que ay
en las cortes y en las grandes repúblicas............ 135

Cap. XIV. De muchos trabajos que ay en las cortes
de los reyes y que ay muchos aldeanos mejores que
cortesanos.. 141

Cap. XV. Que entre los cortesanos no se guarda
amistad ni lealtad y de quán trabajosa es la corte, 149

Cap. XVI. De quánto mejor corregidas solían estar
las cortes y repúblicas antiguas que lo están ago-
ra las nuestras.. 155

Cap. XVII. De muchos y muy ilustres varones que
de su voluntad y no por necessidad dexaron las
cortes y se retraxeron a sus casas...................... 163

Cap. XVIII. Do el auctor con delicadas palabras y
razones muy lastimosas llora los muchos años que
en la corte perdió.. 175

Cap. XIX. Do el auctor cuenta las virtudes que en
la corte perdió y las malas costumbres que allí
cobró... 183

Cap. XX. De cómo el auctor se despide del mundo
con muy delicadas palabras. Es capítulo muy no-
table.. 189